AI vs. 人間の近未来

宮崎正弘
Masahiro Miyazaki

宝島社

プロローグ

AI（人工知能）が人間の智恵を超える可能性は薄い

「アラジンの不思議なランプ」は、主人（所有者）の言うことを聞く。
主人が途中から悪魔に変わろうとも。

ネット空間からフェイクと詐欺の新型、そしてオピニオン・リーダーも登場

生成ＡＩ、とりわけチャットＧＰＴの登場は２０２２年11月だった。

まだ二年も経ていないけれども世界の情報空間では、賛否両論の侃々諤々（かんかんがくがく）と失業への脅威が語られている。人間は未知のものに臆病なところがある。米国ではハリウッドの俳優組合も自動車労組もＡＩによる合理化に反対し長期のストライキに突入した。

ＡＩ搭載のロボットが生産現場に投入され、これが本格化すると、３億人が失職するという計算がある。他方、これで人手不足がカバーできるとメリットを強調するのが無人受付ホテルなどだ。

あるアメリカ人の工場責任者の弁。「ＡＩ搭載ロボットに休憩時間は不要、病気になったり、不満たらたらの愚痴も言わない。モノを盗むこともありません。しかも稼働が本格化すれば時給2ドルくらいで働くのです」。

ただし電池の寿命がきたら動かない。部品がはずれたら機械は故障するマイナス面は語られない。作家の五木寛之が言った。「ＡＩは惚（ぼ）けないのか」。

アメリカの最低賃金は11ドル。カリフォルニア州、オレゴン州では時給20ドルでも人が

こない。GM、フォードが加盟するUAW（全米自動車労組）は時給が最低30ドル、熟練工の多くは40ドルを超える。これではコスト競争に勝てないだろう。シンクタンクの報告書は「世界の業務の18％がコンピューター化される。その影響は新興国市場よりも先進国でより深刻になる」と予測した。

マックは厨房を別にして、店内に従業員がいない実験店を出した。すでに無人のコンビニが世界的に拡がりを見せている。たとえばトヨタは無人バスの走行実験を公開した。アマゾンは投資先のアジリティ・ロボティクスが開発した倉庫ロボットとイーロン・マスクのヒューマノイド・ロボットを運搬実験に使った。

従来の商品の摘出、拠点への運搬、梱包、ベルトコンベアでの仕向地別の区分け作業、トラックへの荷積みの過程を効率化した。なにしろ古本屋を探しても見つからない書籍が、早朝に注文すると夕方には配達される時代となった。

これらは半導体の進歩によって実現したわけだが、AIのさらなる発展はこの半導体の高度化で実現する。一方で情報空間にはフェイクが溢（あふ）れ、新型詐欺が横行しはじめた。新技術が悪用され、アラジンの魔法のランプを悪魔が使い始めたのだ。

典型の事件は人気歌手テイラー・スウィフトのポルノ合成画像が、生成AIで、いとも簡単に作られ、SNSで拡散したことだ。あっというまに4200万人が観たあと、Xはアカウントを閉鎖した。スウィフトは23年の『TIME』誌で「今年の顔」に選ばれた唄歌い、2024年2月の東京公演も満員だった。

米国の「アブノーマル・セキュリティ」社の調査によればチャットGPTの公開以後、ビジネス詐欺のメール数は89％急増し、詐欺は二倍になった。日本での不正送金被害が16倍となった（2023年上半期の統計）。被害額は日本だけで30億円を突破した。しかも詐欺メールを人間が作成すれば平均16時間かかるが、AIはたった5分でやってのけた。まさにAIが悪用され、世界はフェイクと詐欺に蔽われた。

IT革命のおり、さかんに言われたことは「技術格差」だった。インターネット時代がAIによってさらに進むと、投資にもデジタル派とアナログ派に分かれた。ビットコインなどの暗号通貨投機か、金投資かである。

金価格は史上初の2300ドルを突破した。2024年4月3日、1オンス＝2308ドル80セント。おなじくビットコインは66807ドルを記録した。投資家は不動産投資を引き上げ、株式に平行して昨今は債券投資に絡めた通貨投機である。外国為替市場での異変は通貨が『商品』として扱われるようになったからだ。

日米金利差は4・5％もある。1％金利差が拡大すると8円の円安になる数式がある。異常な円安は日本の輸出業者（メーカーを含む）が裨益し、他方で資源輸入代金が高騰するからインフレを招く。

日本はエネルギー自給ができないから石油、ガス、鉱物資源、そして食糧を輸入している。ということは現在の円安は行きすぎであり、円高にもどす政策を日銀、財務省は取るべきだが、利上げ観測があるのみ。金利の安い日本円を買ってドルに換える。この「円キャリー・トレード」でファンド筋がしこたま儲け、円安によって流れ出したカネの多くが中国へ流入している。だから破産している中国経済がまだゾンビ状態を継続出来るのだ。

さて近未来、はたして投資の勝者はビットコインなどの暗号通貨か、それとも伝統的なゴールドか？

ゴールドの利点は歴史開闢以来、人々のあいだで富の象徴、最後の通貨としてひろく認識されていることである。くわえて耐久性、市場流動性、プライバシー保護、認知度でビットコインに優る。運搬手段だけ、ボタン一つの暗号通貨とは異なる。ビットコインは希少性と数式の難解さ、検証の確かさに加えて利益率が高いという点でゴールドに優るが、認知度、普及度がまだ乏しく、また電力消費が著しい。しょせん、庶民とは無縁だ。

デジタル派はビットコインを好み、アナログ派はゴールドを志向するというわけである。

暗号通貨の市場規模は金額変動のため枚数換算となるが、ビットコインが１９６０万枚、イーサリムが１億２０１８万枚。そのほか暗号通貨はおよそ１００種類。

しかし政治が絡んできたため状況は複雑である。米国議会はビットコイン推進派と禁止派が対立していて、反対派は「犯罪集団、テロリスト、ごろつき国家、ハッカー部隊が送金ならびに決済手段に多用しているから禁止せよ」と訴えているが、トランプ、デサンティスら共和党に加えＲＫＪ（ロバート・ケネディ・ジュニア）も暗号通貨擁護派である。

論壇の風景も大きく変わった。

経済論壇で一時期盛んに議論された「グローバリズム」とか「ボーダーレス」は枯葉のように色褪（あ）せ、大手メディアでは本格的懐疑論はみかけないが、ネット空間ではグローバリズム否定が常識である。

「ロシア＝悪」、「ウクライナ＝善」という単純な二元論も、「イスラエル＝悪」、「ハマス＝善」説もＳＮＳではまったく異なった分析が目立つ。大手メディアは左翼リベラリズムが依然として主流だが、ネットは保守系の意見が多く勢いもある。全米で１億７０００万人をこえる利用者があるＴｉｋＴｏｋでは「パレスチナ支援」が多数派となった。グーグルの「ジェミニ」もそうだった。これらは情報が巧妙に操作されている。米国議会は何回もＴｉｋＴｏｋのＣＥＯを証人喚問し、中国の指令で動いているのではないかと問い詰めたが、「わたしはシンガポール人、中国共産党とは無縁です」と答えた。しかし米国議会下院はＴｉｋＴｏｋ禁止法案を可決した。

　数年前から出版界に異変がおきている。

　日本列島いたるところ書店数が半減し、読者は書籍ではなく、ネット空間に飛び交う意見や記事を追いかける。ＳＮＳからデビューした論客が増えた。従来のオピニオン誌だった『中央公論』や『正論』とは無縁の場所から、最初はブログから、ついで旧ツイッター（現在Ｘ）、ユーチューブからの登場である。若い人は殆(ほとん)どが本を読まない『スマホ脳』の持ち主たちだ。そのうち「ＡＩ某」とかに匿名論客がオピニオン・リーダーになるかもしれない。ともかく議論の場所、風景が従来の枠から飛び出したのだ。

　通勤電車やバスのなかで90％近くの通勤客がスマホを見ている。かつての通勤風景ではサラリーマンが車中で読んでいたのは日本経済新聞だった。いま、電子版をスマホで読んでいる人も少しはいるが、多くは漫画か、ゲームをしている。片手で器用にメッセージを打ち込んでいる。

　もとよりシリコンバレーの若手起業家たちがＧＡＦＡＭ（グーグル、アップル、フェイスブック、アマゾン、マイクロソフト）を生み、発信の方法もやり方も変え、電話は携帯が主流となって画像も送れるようになった。デジタルカメラも廃(すた)れた。スマホがカメラにも早変わりし、そのうえ高画質だ。録画・録音もできる。アップルのアイフォンは世界市場を席巻した。サムスンのスマホは端末内で通訳をこなせる新機種を発売した。通訳が失業する時代を迎えた。

　げんに２０２４年３月に発明推進協会が主催した「ＡＩ翻訳に関する講演会」で注目すべき発表があった。世界中の特許出願件数は年間３００万件を超えているが、とりわけ外国特許文献調査や外国出願、国際契約書作成等には専門的で高質な翻訳が欠かせない。高い翻訳の質が要求される分野にＡＩの導入、活用が広がっている。東京大学の中沢敏明研究員は「生成ＡＩとチャットＧＰＴ活用で人的翻訳よりも高い翻訳精度を示した」と報告した。

　状況を変革したのはツイッターを４４０億ドルで買収し、ＳＮＳ世界に殴り込んだ起業家のイーロン・マスクであり、大手メディアにＳＮＳで立ち向かったタッカー・カールソンとドナルド・トランプである。ＳＮＳが極左思想、文化マルクス主義に汚染された状況への叛旗である。

　フォロアーの数が忽ち数字で表れ、その情報の浸透度、コメンテイターの人気度のバロメーターとなる。ＳＮＳでの発言が猛烈な勢いで拡がる時代には、ネットの言論空間で影響力を行使できる人をインフルエンサーとも呼ぶようになった。活字媒体で活躍してきたオピニオン・リーダーは活躍の舞台が縮小されたことに愕然となる。

ヘアヌード週刊誌は老人医療とケアホーム、病院と薬の特集に活路

イーロン・マスクの「X」が画像や音声、そのうえ長文メッセージも送れることになった。グーグルの「バード」（現ジェミニ）はやや勢いを失った。とくにジェミニが「モディ首相」と検索すると「ファシスト」とでたためインド政府はグーグルに抗議した。「インドは医療、農業、教育でＡＩを積極的に活用しているが、人物の作図など許しがたいものがある」とし、当面の使用を中断させた。グーグルのＣＥＯのピチャイは「この問題と真剣に取り組んできたが、つねに信頼できるわけではないかもしれない」と言い訳をした。ピチャイもインド人である。

中国でも類似の生成ＡＩで「毛沢東」と入力すると「独裁者」と出た。中国政府は使用を禁止した。米国では「米国建国の父」を問うと黒人ばかりが登場した。以前からウィキペディアの左翼的偏向が指摘されてきた。左翼に甘く保守に厳しいという甚だしい極左優先主義を基準として設定しており言論の自由が損なわれているとの指摘、抗議が相次いだ。

グーグルに限らずシリコンバレーはこの問題に悩まされてきた。とくに２０２４年は世界主要国で選挙が行われるため選挙の悪用を防ぐにはどうすればよいかを話し合ってきた

ものの禁止措置は難しい。ＡＩ規制の動きは鮮明だが、技術の進歩に法律整備が追いつかないのが実情である。

ＴｉｋＴｏｋもインスタグラムも活用する人たちが増えた。主として宣伝目的の商業的利用だが、ネット空間では深い考察にみちた論文などはあまり読まれず、書籍の売れ行きは往時の三分の一以下、雑誌は半減どころか、百万部を誇った『文藝春秋』は二十万部を割り込んだ。

団塊世代が愛読した『週刊現代』は老人の健康雑誌、『週刊ポスト』は老人ホームや薬の特集をして命脈を繋いでいるが、往時の五分の一の発行部数も確保できなくなった。団塊の世代の高齢化、しかも相当数が不在となったことも大きな原因である。かつての受験地獄時代に誰もが読んでいた『螢雪時代』をほとんど見かけなくなった。学研もベネッセも主力ビジネスは学習雑誌ではなく、いまでは老人ホーム経営だ。ベネッセは都内だけでも162棟（2024年4月現在）の老人ホームを運営している。

学校の授業もオンラインとなって、コロナ禍の期間だけかと思いきや、国際会議もオンラインで行われる。ユーチューバー論客が主導する論壇に変容しつつあり、筆者の周囲を見渡しても田村秀男、執行草舟、藤井厳喜、松田学、石平、渡辺惣樹、井上和彦、馬渕睦夫、佐波優子、葛城奈海、岩田温の諸氏は個人のチャンネルからも発信している。

最大の変化とは、これら新方法による言論活動が意外に異端視されず、世論に大きな影響力を発揮しはじめて従来のテレビ、新聞のそれに迫るか、凌駕（りょうが）しつつあることだ。ネットから生まれた保守新党が瞬く間に党費をちゃんと支払う支持者を増やし、ポスターもDMも電話勧誘もなく、ネットで告示するだけの演説会に数万人が駆けつける。従来の政治の風景とは異質である。新しい政治刷新劇がおきるかもしれない。

典型は全米コメンテイターの人気者タッカー・カールソンだろう。彼はある意味でニューヨーク・タイムズより影響力がある。げんにプーチン大統領が例外的にインタビューに応じたのはSNS媒体のカールソンだった。

そのプーチン・ロシア大統領は「AI（人工知能）を制する者が世界を制する」と預言した。これはウクライナ侵攻のはるか前、2017年の発言だった。前年にトランプがSNSを活用してアメリカ人もびっくりの当選を果たし、「ツイッター大統領」と言われたように通信の革命に瞠目（どうもく）したのだ。プーチンは冷徹な政治家だが、AIに尋常ならざる興味と関心を示してきた。2023年11月24日にモスクワで開催された「人工知能（AI）・ジャーニー・カンファレンス」でプーチンは意表をついて、倫理の問題を提議した。元KGB工作員が「りんり」を説く？

「人工知能が生活のあらゆる場所で役割が増大する。人類は新たなチャプターに入った。

ロシアをＡＩイノベーションの先駆者」と位置づけるプーチンは新たな技術で倫理的、社会的な問題が引き起こされるとし、「ＡＩを禁止することは不可能である。禁止すればＡＩは別の場所で発展し、われわれは遅れをとることになる。倫理的な問題は伝統的なロシア文化に沿って解決されなくてはならない」とした。

なぜなら「欧米諸国のオンライン検索システムや生成ＡＩモデルの中には、ロシア語やロシア文化を無視したり、排除したりするものがある。こうした異質なシステムによる独占と支配は危険で、容認できない。とくにチャットＧＰＴなどが、英語を主体としていることは生成ＡＩのリテラシーが西側に依存し、西側が技術を寡占してしまうことは危険だ」からだ（日本も、この文脈では同じ劣位にある）。

プーチン大統領はＡＩ技術の可能性と、ロシアがこの分野で存在感を維持する必要性を強調した。

「ロシアがＡＩ開発競争に遅れをとった場合の重大な結果」に関して、最初に指摘したのは人材の流出である。数万人の若手のコンピュータ技師等がウクライナ侵攻と同時にジョージアやアルメニア、中央アジアのカザフスタンへ出国した。

一方、ロシアは軍事予算を拡大したが、ＡＩ開発予算は微々たる金額でしかなかった。

ウクライナ戦争の徴兵逃れにロシア人多数が外国へでたうえ、半導体の自製ができないロシアは経済制裁によって高度半導体の入手が困難となった。クレムリンは２０２４年予算でＡＩ研究に52億ルーブル（５８００万ドル）を割り当てた。ちなみに２０２２年の米国予算はロシアの五十倍だった。どう客観的に眺めてもロシアのＡＩ開発は難しい局面にあり、壮大な計画を発表しても手遅れ、悲惨な状況にある。

猛威を振るう生成ＡＩとチャットＧＰＴの席巻によって、とりわけ知的財産権問題が深刻になった。ニューヨーク・タイムズは２０２３年12月27日に、「著作権侵害」でチャットＧＰＴ開発の「オープンＡＩ」とその胴元のマイクロソフトを提訴した。これは世界的な衝撃ニュースとなった。

提訴理由を「両社がＡＩモデルのトレーニングにコンテンツを使用するのは著作権法に違反した」とし、「報道は何千人ものジャーナリストの仕事であり、彼らの雇用には年間数億ドルの費用がかかる。ところが被告らは、許可も補償もなしに記事を流用し、ＮＹタイムズがこれまでに投資した数十億ドルの支出を事実上回避した」

ＮＹタイムズはすでに利用規約を変更しており、ＡＩ開発のために無断で同社の記事や写真などの利用を禁止した。

すでに全米作家協会、ハリウッドの脚本家、俳優組合らが、ＡＩによる失業のおそれもあって「知的財産権」の擁護を前面に出し、生成ＡＩ各社との著作権契約締結の動きが本格化している。作品の引用に対価を求めているのである。なぜならあちこちの文章や映像をつぎはぎしただけで映画は新作をつくれる、素人が小説をかけるという「真贋混淆（しんがんこんこう）の時代」に、これらは深刻な問題だからである。日本でも手塚治虫の「新作」を生成ＡＩとチャットＧＰＴが制作したというニュースに接したばかりだ。

２０２４年三月、海上保安庁が生成ＡＩで作製したイラストを使ったパンフレットをめぐり、「著作権侵害ではないか」と疑問の声があがったため配布を取りやめた。これは海難事故の防止を呼びかける目的で、海辺で微笑えむ女性を生成ＡＩでアニメ風に描いた。抗議には「著作権法侵害疑惑」のほか「イラストレーターの仕事を取るな」というのもあった。

同年4月には画像生成ＡＩを使ったデジタル写真集「生まれたて。」の販売を終了すると集英社が発表した。

写真集のモデル女性「さつきあい」は架空の人物で、『週刊プレイボーイ』編集部が、画像生成ＡＩを使って生み出した。ＡＩ著作権問題が世界的な論争となってきたため、このような措置があちこちで頻発している。

ＡＩ社会はそれほど明るいのか

全米でＥＶの売り上げカーブが低速化し、ＡＩ搭載のＥＶが曲がり角にきたことは何を意味するのか？

デトロイトなどの自動車労組が45日間のストライキを実施した。ＡＩ導入による意識の切り替えへの躊躇（ちゅうちょ）より、ＥＶ導入によるライン組み替えで労働者が大量に解雇される危機に対応したのだ。

長く民主党の選挙基盤、集票マシンともいわれた自動車労組の幹部はいまも民主党支持だが、組合員の多くがバイデンを見限り、トランプ支持に乗り換えた。なぜならトランプはガソリン車存続、環境問題の諸規制廃止、もしくは緩和を唱えており、「パリ協定」からの再度の離脱を訴えている。脱炭素という夢のような話に泥酔して、ＥＶ市場は中国が優勢という一時的現象があったが、足踏み状態になりそうだ。

生成ＡＩの成長は年率35％。２０３０年に15兆円市場になると米国の調査会社が予測している。楽観的予測では30兆円になるという。

ＡＩ規制基準の世界的標準化は不可能となった。欧米はプライバシー保護、人権優先、中国とロシアは国家優先で人権に価値を置かない。ところが矛盾するかのようにプーチンが掲げるのは「倫理」である。

ロシアの本音は権威主義的支配を強化するためだけに役立つことを保証するAI基準の施行を重視し、共同の認識を持つ中国にパートナーを求める。なぜ中国との共同研究を模索しているのかと言えば、米国の強硬な制裁にもかかわらず中国の研究者たちは、かなり高い目標を達成したからである。調査会社「テックインサイツ」は中国の華為技術（ファーウェイ）の新型スマホが、米国政府による「技術禁輸措置を回避」していると報告した。分解精査の結果、中国の無線周波数チップの設計とエンジニアリングが急テンポで進歩していること、米国の技術禁輸にもかかわらず中国が高度半導体開発で猛追していることが分かった。ファーウェイの新スマホ「Ｍａｔｅ60Ｐｒｏ」が最先端の7ナノ半導体を搭載していると米国の有力なシンクタンクのＣＳＩＳレポートが報告した。

中国の猛追と半導体製造技術の進歩は西側と技術差が縮まるにつれ、西側が禁止した半導体禁輸が〝ザル法〟だったことを示した。プーチン大統領は前述演説の中で七回も「倫理」に言及、国家ＡＩ倫理規定の更新を求めた。西側の開発者たちに倫理観は希薄だ。

横尾忠則がたいへん興味深い指摘をしている。

チャットＧＰＴはレンブラントとまったくおなじ絵を、こともなく描くが、レンブラントが創作中の精神、魂はその複製の絵では表現できないとして続けた。

「ありとあらゆる生活の側面にＡＩが関与してしまった、ＡＩ一色になったとき、本来のリアリティは必要なくなる（中略）。宇宙の法則でもある輪廻転生さえもなくなってしまいます」（『週刊新潮』、２０２３年12月14日号）

さしずめ葛飾北斎の絵を生成ＡＩは簡単に真似してのけるだろう。しかし北斎の創作にあたっての苦悩も呻吟（しんぎん）もなく製作に打ち込む精神は付帯しない。俳句も和歌も書も同じである。平城京時代の有力者だった藤原豊成の娘、中将姫は父の残した写経に感動した。

「来る日もくる日も、此元興寺の縁起文を手写した。内典、外典、そのうえにまた大日本（おおやまと）びととなる父の書いた文（もん）。指から腕、腕から胸、胸から又心へ、沁みじみと深く、魂を育てる智恵の這入って行くのを覚えたのである」（折口信夫『死者の書』、岩波文庫）

日本は「言霊の幸かふ国」（柿本人麻呂）であり、文章を書写する営為にも魂が込められていたのだ。このような精神的な要素、人間の情熱、情緒、感情、そしてインスピレーションに富んだ想像を生成ＡＩはなし得るか。

神が関与する「霊性ＡＩ」なら、成し遂げるだろうが、それは非現実的である。古代からの人類の智恵を、ＡＩが乗り越えるという危惧は大げさではないか。

２０２４年１月１日に能登半島を襲った地震は甚大な被害をもたらした。輪島市、珠洲市は壊滅状態に等しく、救援に向かうにも港湾は破壊され、道路はあちこちで陥没と土砂崩れ、悲惨な状況が刻々と報じられた。

ところが奇跡が起きていたのだ。

能登町の「真脇遺跡」で縄文時代の環状木柱列（ウッズサークル）と竪穴式住居が無傷だった。真脇縄文遺跡は三内丸山遺跡より古く、また長い文明をたもち、６５００年前から３７００年ほど続いた。震災に耐えた能登町の縄文住居跡は竪穴式で、高さ３・５メートル、幅約5メートル、奥行き6メートル。屋根には15キロ重量の石が40個。柱は直径10センチほどの掘っ立て小屋である。

いずれにしても合理主義、科学文明に浸りきった現代人は、この問題をないがしろにしてきたのである。

AI vs.人間の近未来　目次

第一章　世界はフェイクに蔽われている

第三章　ＡＩは私たちの生活をどう変えるのか？

第四章　霊性、霊感とはなにか

第一章

世界は
フェイクに
蔽われている

「人間のこころは何者かを信ずる必要がある。信ずべき真実がないとき、人は嘘を信ずるのである」

（マリアーノ・ホセ・デ・ラーラ、安倍三﨑訳『ラーラ』、法政大学出版会）

人間にあってAIにはないもの＝第六感、末那識(まなしき)、そして阿頼耶識(あらやしき)

ＡＩ（人工知能）と人間の智恵とは決定的な違いがある。たといＡＩがＡＣ（人工意識）を持ったとしても、不可能だ。

人間には視覚、聴覚、嗅覚、味覚、触覚に加えて第六識がある。第六感が冴(さ)えるのは、この意識による。さらに第七識が末那識、第八が阿頼耶識である。

仏教が重視する「唯識論」では阿頼耶識は善悪を超越した不可知であり、本識とも呼ばれる。要するに前世を含めた遠き過去の行動や履歴の種子を蓄えて、行動や思考の根本を司るのである。

ＡＩはパターン認識と膨大な情報を詰め込んだデータバンクであっても、嗅覚と味覚には技術的になじめないし、まして阿頼耶識を超えることは絶対にあり得ない。機械が神を超えることはない。

たとえばＡＩは横尾忠則がいうようにレンブラントの絵画を精密に復元できるだろう。あるいは興福寺の仏像のレプリカを簡単に作れるかもしれない。しかしその作品に宿っている千年の時間を作り出すことは不可能である。

ヒューマノイドといわれるロボットが出現し、人間と同じ動きをしても、嗅覚と味覚はない。ロボットに毒味役は期待できない。味覚は体感できない。そもそもロボットに胃袋はない。データのつまった人工の脳だけで、仏教で言う唯識は持ち得ない。

横道に逸れるが、２０２４年４月時点のヒューマノイド・ロボットはテスラがリードしている。派手な記者会見とともに公開されたロボット「オプティマス」は二足歩行で軽作業が可能、アマゾンは空箱回収で実験している。しかし微妙な作業が必要な介護ロボットのレベルにはまだまだ距離がある。

三島由紀夫は遺作となった『豊饒（ほうじょう）の海』全四巻のなかの第三巻『暁の寺』で、唯識を「あの壮大な大伽藍のような大乗仏教の体系」として、こう書いている。

「われわれはふつう、六感という精神作用を以て暮らしている。すなわち、眼、耳、鼻、舌、身、意の六識である。唯識論はその先に第七識たる末那識というものを立てるが、これは自我、個人的自我の意識すべてを含むと考えてよかろう。しかるに唯識はここにはとどまらない。その先、その奥に阿頼耶識という究極の識を設想するのである。それは漢訳に『蔵』というごとく、存在世界のあらゆる種子を包蔵する識である。生は活動している。阿頼耶識が動いている。この識は総報の果体であり、一切の活動の結果である種子を蔵（おさ）めているから、われわれが生きているということは、畢竟、阿頼耶識が活動していることに他ならぬ」（新潮社）。

小林秀雄は「人類は文明を進歩させたが、孔子やソクラテスを超える英知が生まれたか」を問うた。天才数学者の岡潔も同様なことを言っている。

「生成ＡＩなんぞおそるるに足らず」というブラッドフォード・デロング加州大学バークレー校教授は、こう言う。

「分類・計測・予測の多少の精度向上は生活を豊かにしてくれるとしても、あくまで付加価値的なものだ（中略）。言語、画像生成モデルは広報活動の手法として世間を驚かせたが、情報や知見の源としては信頼性に乏しい」（『日本経済新聞』、２０２４年１月４日）。

ＡＩの進化スピードがあまりにも迅速なため人類社会の構成要素である政治と経済のシステムが追いつけない。当時者の意識が置いてきぼりになる。古今東西、歴史を眺めると失業を代替する新産業が生まれるが、すぐに適用できる人が少ない。中高年層が長く携わってきた職業を喪うと、次の方向へ転換できる適応力が不足しているので困難に直面する。

しかしＡＩは生産性を今後十年で30％ほど押し上げると予想され「ＩＴ革命」より迅速になる。ＩＴ（情報技術）を「『イット』って何だ」と訊いた某国の首相がいたが、あの感覚である。「ＩＴ革命」とは光ケーブル敷設など目に見える物理的変化だった。ＡＩ革命は目に見えない。

２０２２年の生成ＡＩ、チャットＧＰＴの登場以来、ＡＩ規制論が西側の合意となった。とはいうものの「シンギュラリティ」は２０４５年と予測されている。「ＡＩが人間の智恵を凌ぐ転換点」がシンギュラリティだが、レイ・カーツワイル（米国の発明家）が言い出し、〝ＡＩのゴッドファーザー〟ジェフリー・ヒントン教授が追認した。

しかもＡＩがＧＤＰの殆どを稼ぎ出すようになれば人間存在は小さくなる。ＡＩ搭載のロボットが人間を支配するという暗黒の未来図だが、それはＡＩが意識をもつときであり、最近は「人工知能」（ＡＩ）ではなく「人工意識」（ＡＣ＝アーティフィシアル・コンシャスネス）が誕生するというのだ。

グーグルの開発研究者だったブレイク・レモインは「生成ＡＩは意識を宿した」と唱えた。したがって兵器に転用されると「原爆を上まわる」とヒントンが懸念を率直に述べる。「人工意識」が善意の持ち主ならまだしも悪意を先に宿すとなると怖ろしいことになる。

しかしロボット工学専門の石黒浩・大阪大学大学院教授は「ＡＩが人間を凌ぐのではな

いかと懸念の向きがあるが、人間は新しい技術が出てくると『仕事を奪われる』と心配しながらちゃんと受容し駆使してきた。より高度な技術を使うためには人類全体が賢くならなければならない。ＡＩもロボットも良識のある人が設計し使用することが重要で、人間は生身の体を持っているから人間であるわけではない。社会がその人を大事だと思ったときに人間になる。この意味で、将来、社会で受け入れられ『人間』として認識されるロボットが生まれるだろう。そのとき大きな役割を果たすのがＡＩだ。ＡＩはロボットだけでなく、スマートフォンを見れば分かるように人間にも知能を与えている。人間がＡＩという技術を取り入れ、ロボットも含めて『いのち』を広げていくことは疑いようがない」と楽観的である（産経新聞、３月４日）。

ところで早くもＡＣ（人工意識）に挑んでいる日本のベンチャー企業がある。「アラヤ」は神経科学と情報理論の融合により、脳に意識が生まれる原理、ＡＩに意識を実装する研究と産業界でＡＩと脳科学の実用化に取りくむ企業だ。

その企業名が「アラヤ」と聞いて筆者は咄嗟に阿頼耶識に由来するなと直観した。同社のＨＰを覗（のぞ）くと金井良太ＣＥＯがそう明言していた。

製薬、製造過程、そして考古学でAIは大活躍

ＡＩの限界は自明のことであり、人間のもつ阿頼耶識を前提に踏まえながらＡＩ開発の現状をとりあえずまとめる。

前向きな変化で言えばＡＩの活用で行政、企業のオフィスワークで業務の簡素化、加速化がある。考古学者は火山灰で埋もれたポンペイの遺跡から出土した古代文書をＡＩで解明した。日本でも発見された古代文字「ペトログラフ」の解析もいずれ可能となるだろう。

製薬業界では新薬の開発が迅速になった。従来の七倍の早さという。製薬でのＡＩ利用は開発時間の短縮ならびに費用の節約だ。たとえばインシリコ・メディシンは肺の治療薬をＡＩで開発した。エヌビディアはＡＩで新治療の発見や設計に役立て顕著な効果を上げた。ことほど左様に文明の利器として前向きに駆使した場合、ＡＩはたしかに首肯すべきプラス面がある。

ＡＩに限らず情報は古代から操作され、悪用されてきた。ＡＩはすでに多方面で悪用されている。こちらも加速し、犯罪規模が膨らんだ。

ドイツでは生成ＡＩで巧妙な画像がつくられ、ＳＮＳに出回った（２０２３年12月）。日本でも岸田文雄首相の偽動画が出回った。なにしろ政治家の顔や声までがそっくりに加工されていた。台湾の総統選でも対立候補のフェイク動画が出回った。立法委員選挙では有力候補が落選という事態にもなった。政治家がたとえば従来の意見を否定したり、とんでもない妄言を吐いたりして政治潰乱（かいらん）をねらうのである。

ドイツでショルツ首相の偽動画がネット上に出回った。保守政党の「ドイツのための選択肢」（ＡｆＤ）の追放を表明する内容となっており、話し方や声が生成ＡＩで精巧に再現されていた。ドイツ政府はすぐに動画が偽物と判定し、ディープフェイク対策の作業部会を立ち上げた。

フェイクの典型事件がいくつかある。

２０２４年1月時点で米国大統領は予備選段階だったが、副大統領候補にトランプが有力視されたニッキー・ヘイリーではなく、ＲＫＪ（ロバート・ケネディ・ジュニア）を選ぶという報道が流れた。『ニューヨーク・ポスト』がトランプ選対の情報筋として、「ケネディ陣営と接触し、合意ができあがりつつあったが、ＲＫＪ側から断られた」というものだった。

トランプ選対のストラテジストであるクリス・ラシビクが「その情報は１００％フェイクだ」と直ちに否定した。

ディスインフォメーションは、日本ではまだ普遍的な語彙ではないが、国家・企業・組織、個人の信用を失墜させるためメディアやＳＮＳを悪用し、意図的に流す虚偽の情報を意味する。

ブルームバーグが２０２４年１月６日に報じた「中国のミサイル燃料に水」というニュースもフェイクだった。

これは「ＣＩＡ筋の情報」と称して、「中国のロケット燃料を水で代用」というのだが、第一に「匿名の情報通でＣＩＡに近い」というニュースソースが妖しい。第二に中国のミサイルは「固体燃料」型に移行している。発射直前に燃料を注入する旧式ミサイル（液体燃料型）もまだあるが発射直前まで燃料タンクはカラである。いまや北朝鮮ですら固体燃料型である。水を注入しておく必要はない。第三に「匿名氏」が言う「ハミに近い基地」も作り話ではないか。新疆ウイグル自治区の東部にハミという地名があるが、ここは葡萄と瓜の産地。この地区にミサイル基地があることを米偵察衛星は把握していない。架空の基地ではないかと『アジア・タイムズ』（24年1月9日）が指摘した。

生成ＡＩとチャットＧＰＴによって、世界の情報空間はフェイクで満たされた。真贋混在の時代には情報を分析する前提としてフェイクを見破るコツを習得する必要がある。

しかし歴史的な偽造文書、フェイク情報を考察すれば「基本」のパターンは毫も変わらず、情報の飛び交う場所がネット空間に移行しただけである。古代中国では改竄（かいざん）、でっち上げ、讒言（ざんげん）のための文書偽造もよく行われ、有力指導者や皇帝側近の権力闘争に悪用された。

世紀の偽造文書は『シオンの議定書』

世紀の偽造文書はユダヤ人が世界支配を狙っているとする陰謀論の怪作『シオンの議定書』だろう。

これを真似て中国が作成した偽造文書が、かの「田中上奏文」だった。古きをいえば『日本書紀』の古代の記載を読むと明らかに偽造文書からの引用がある。偽造、フェイク、つくり話、ニセ文書などの意図は敵を攪乱（かくらん）し、揺動する心理作戦でもある。戦争が偽造文書の技術を向上させたのである。

戦国武将たちは優秀な右筆を備えたが、かれらは文章の巧みさや語彙力だけを要求されたのではない。敵の大将とそっくりの筆跡を真似る技術、そして印鑑や花押（記号化された署名）を本物とそっくりに真似るノウハウである。伊達政宗が謀反を嗾（けしか）ける手紙を書いて秀吉が発見し問い詰めたところ、花押の細工を理由に言い逃れたことは有名な話だ。

1988年にも米国大統領選挙を取材に行った帰路、筆者はワシントンからロスアンジェルスに立ち寄った。

時間が空いたのでジョン・ダワーに電話して、インタビューを申し込んだ。ところが、きっぱりと断られた。ダワーは「近代史家」らしいが、著作の中身は出鱈目である。『敗北を抱きしめて』では日本軍の「悪行」を書き連ね、「占領地で略奪し、女を襲い、赤ん坊を放り上げては笑いながら銃剣でさしていた」などと見てきたような嘘を並べた。

高山正之は『週刊新潮』で、こう批判した。

「それはみな聞いたことがある。第一次大戦さなか、ベルギーを占領した独軍は民家まで襲い、暴虐の限りを尽くした。将来の抵抗勢力になる子供たちは銃が持てないよう、その手首を切り落とされた。産院も襲われ、看護婦は犯され、保育器の赤ん坊は放り上げて銃剣で刺した。（中略）ところが戦後、資産家が手首のない子供たちを引き取ろうと探したが、見つからなかった」。

アーサー・ポンソンビー『戦時の嘘』は「戦時下の報道を検証したら犯された看護婦も

殺された赤ん坊もいなかった」と指摘した。

こうしたフェイク情報、捏造記事は、米広報委員会（CPI）が関与した。ウィルソン大統領が創った組織で、嘘放送の発信で戦況を有利に導き、国民を戦争に誤導した。現代世界でSNS空間に飛び交うフェイク情報の元祖と言って良いかもしれない。東京裁判では聞いたことない嘘が、GHQによって後追いで語られ、反日のメディアが報じた。目的は日本人が残虐だったことにねじ曲げて「2発の原爆も正義の鉄槌だった」という東京裁判史観に執拗に上塗りされた。

それでも飽き足らない。そこで中国がまったく興味の無かった「南京大虐殺」なるものをでっち上げた。最初は2万人の虐殺死体がごろごろしていたと朝日新聞に書かせたが、それじゃ原爆の死者に勘定があわないので、十倍にした。江沢民は日本の援助をねらって、さらに南京の虐殺人数を30万人にかさ上げし、南京の出鱈目記念館を改装し、学生や軍の必見見学ポイントに指定した。

四半世紀前に筆者が初めて南京に入ったとき、当時はタクシーに盗聴器もなかった時代で、運転手が、いきなり「日本人、ここで30万人を殺したな」と絡んできた。「あれは共産党の政治宣伝だ」というと、すぐに得心し「あやつらが一番悪い」と言った。そのあとに付け加えた。「日本でタクシー運転手やると幾ら稼げるか？」。

これらが生成ＡＩとチャットＧＰＴの席巻によって三日かかったニセ文書を五分でつくることが可能となり、その情報の拡散も飛脚や忍者の配達ではなく、コンピュータネットワークでは数秒で数億の人たちに伝達される。情報の送り手はメディアだけの「情報エリート」の時代から誰でも文章や画像を送信できるという大衆が参加する時代となった。

スイスで開催される「ダボス会議」、２０２４年の基調講演はブリンケン米国務長官、イスラエルのヘルツォーク大統領、アルゼンチンからミレイ新大統領、フランスのエマニュエル・マクロン大統領、中国の李強首相も出席した。「ダボス会議」は左翼的な論客や政治家があつまってグローバリズムを鼓吹した場だったが、様変わりの兆しがある。常連だったキッシンジャーは不在となり、ジョージ・ソロスも引退。イーロン・マスクやアリババ創設者の馬雲は欠席した。

ダボス会議のテーマはＡＩ（人工知能）で「そのＡＩが惹起する誤報や偽情報が、最大の世界的リスクになる」と警告した。

ＡＩの基本は半導体である

半導体の現況はどうか。

台湾の半導体はアップルやエヌビディアのスマホ、ゲーム機、チャットＧＰＴ機器などへ供給されている。「台湾の半導体四天王」とはＴＳＭＣ（台湾積体電路製造）、ＵＭＣ、世界先進積体電路（バンガード）、そして力晶科技で、これら四社の世界シェアは70％に及ぶ。

ハイテク半導体の７ナノと５ナノの世界シェアは92％、そして５ナノ以下の半導体を量産しているのはＴＳＭＣと韓国のサムスンの二社だけである。業界の推計に拠れば、もし台湾製半導体を失えば、アメリカはＧＤＰが５～10％低下する。

ニューヨーク・タイムズ（２０２４年１月27日）でニコラス・クリストフ（元北京支局長。中国語も堪能）が書いた。

「ＴＳＭＣは世界で最も重要な企業である。海峡両岸の紛争で生産停止を余儀なくされれば、世界的不況につながる。しかし、中国が台湾の占領に成功したとしてもＴＳＭＣは北京政府に裨益(ひえき)しない。なぜなら台湾の技術者が働き続け、ウェハ工場が破壊されずに済んだと仮定しても、国際的なサプライチェーンに依存するからだ。中国によるＴＳＭＣ接収は『電池のない携帯電話』をのみ込むようなことになるだろう」

クリストフは「ただし」として付け加えた。「ＴＳＭＣは電力を大量に消費しているため、紛争が激化すると、中国が生産を妨害するために台湾の電力網にサイバー攻撃を仕掛け生産が中断すると、世界経済に悪影響を与える」。

　こうした脅威を煽る報道が生ずるのは、台湾人エンジニアや企業経営者が多く出席した国際会議で中国の学者が「ＴＳＭＣをそっくりのみ込めば良い」と中台戦争の未来予測の際にのべたことに端を発し、ペンタゴンに飛び火したことが表向きの端緒となった。戦争シミュレーション専門家が「そのときはＴＳＭＣ工場を破壊し、中国には渡さない」とするシナリオも存在するとの応酬があって、物議を醸していた。

　３ナノ半導体を量産する韓国の半導体メーカーに珍客があった。

サムスンは２０３０年には無人でＡＩが製作する半導体工場を作ると宣言しているが、そのサムソンとＳＫハイニックスの工場をサム・アルトマンが訪問した。アルトマンはいうまでもなく「オープンＡＩ」のＣＥＯだ。

　台湾ＴＳＭＣとの関連文脈で考えるとアルトマンは危機の際に半導体供給先の代替メーカーを探しているのかもしれない。日本より高度な半導体を量産する韓国に米国の先端企業トップが訪問するのは珍しいことではなくなった。

フィンテックに乗り遅れたとみられた韓国の銀行業界も、気がつけば日本の先を走っていた。ネット銀行は日本では楽天などが若者に人気があるが、普及率は迅速とは言えない。韓国では新興のカカオバンク（２０１７年開業）が早くも２３００万口座を獲得し、Ｋバンクが９５３万口座となった。日本のネット銀行第二位の楽天銀行（トップはゆうちょ銀行）はようやく１０００万アカウントに近づいた。ソニー、イオン、住信ＳＢＩ、ローソン、セブン銀行など雨後の竹の子状態で既存の銀行窓口はがらんとしている。証券会社は支店をつぎつぎと閉鎖統合し、株式取引はいまやネット空間へと移行した。ＡＩは銀行証券の有り様を革命的に変えた。

半導体戦争は米vs.中国がメインの戦場だが、半導体世界一は台湾のＴＳＭＣ、韓国のサムスンとＳＫハイニックスであり、米国のインテルは後塵（こうじん）を拝している。だからバイデン政権はインテルに破格の１９５億ドルを支援し、捲土重来（けんどじゅうらい）を期す。

アップルの新型ｉＰｈｏｎｅは３ナノ半導体を搭載している。すでに３ナノを量産するＴＳＭＣは次世代最先端の１・４ナノ開発センターを台湾に開設した。エヌビディアはゲームから出発した新興企業だが、ＣＰＵとＧＰＵを合体させた新型半導体を発表し斯界（しかい）の度肝を抜いた。

米国勢は頭脳部分の基本設計とルールを先に決めるのが得意だが、ものつくりはじつに下手くそ。そのくせ賃金が高いから、競争では負ける。インテルの優位回復は難儀するのではないか。

バイデン政権は対中政策を厳格にすると言いながら、最高機密はどんどん中国の盗まれており〝ザル法〟と化している。そのうえ米国の半導体業界はバイデンの対中政策に反対しているから話はややこしい。

拙著『半導体戦争！』（宝島社）で指摘したが、半導体はもはや「産業のコメ」ではなく、「戦略物資」であり次世代の武器ならびに兵器システム、とくに兵士ロボットに用いられる。イラク戦争でピンポイント攻撃の精度が革命的にあがったが、これから根本的に戦争形態が変わるのである。

１９８０年代に日本は世界半導体市場の80％を占めていた。その頃、ＴＳＭＣは誕生もしていなかった。それが様変わり、日本は先端の半導体競争ではるか後方にあって、もはや再生は不可能、絶望的と言われていた。

ラピダスが挑む２ナノは２０２７年量産開始予定だが、現実の日本の半導体は40ナノ程度の生産しかできない。その格差は九世代、台湾系エヌビディアのＣＰＵとは十世代の開きがある。つまり、９から10周もの「周回遅れ」である。そのうえに「第二の敗戦」（江藤淳）が重なり、「喪われた三十年」の間に半導体の技術者が日本から払底していた。優秀なエンジニアは外国企業に移籍した。

ＴＳＭＣには敵（かな）わないと日本の産業界は鬱々としていた。それが日本の半導体業界の空気だった。

「ラピダスが２ナノを２０２７年につくる」と宣言するや、「できっこない」の大合唱が日本のビジネスジャーナリズムを覆い尽くした。

かつて日米半導体協定で日本を潰したのはアメリカである。そのアメリカが「心変わり」。いきなり２ナノ半導体開発を日本に奨め、ラピダスに全面協力となった背景がある。ＩＢＭがラピダスを支援する態勢が急速に組まれ、突然、日本政府は９２００億円もの補助金を供与するまでになった。

これは戦後ＧＨＱが日本を非武装の三流農業国家として落とし込んできた占領政策を百八十度変えて、武装と産業復活を推奨し始めたことに似ている。この基軸の転換の直接動機は朝鮮戦争だった。

半導体戦争で対日戦略をがらりと一変させたのは、まさに朝鮮戦争のケースと似ている。「米国は中国を『競争相手』と位置づけるが、中国は米国を『超限戦』の対象、『闘争相手』」（平井宏治『新半導体戦争』、ワック）とみているのである。

米国は中国に新技術を渡さないと決意し、ものつくりはカントリーリスクの高い台湾、韓国より日本がふさわしいという政治判断に至ったのだ。

なぜか。前にも触れたように中国の華為技術（ファーウェイ）の新製品スマホに7ナノ半導体が使われていたが、これはＡＳＭＬ（オランダ籍で半導体製造装置で世界一）のエンジニアが機密データを中国に渡したこと、韓国、台湾から高給で釣られ中国にスカウトされた技術者たちが協力し、当該半導体は流通の「抜け穴」を通じて中国のＳＭＩＣに漏れたからだ。

量子コンピュータで注目は、データ盗聴が不可能な「量子暗号通信」

「日常感覚からはかけ離れた量子物理の原理を用いて、現在のスーパーコンピュータにも不可能な計算を行い、社会の課題を解いてくれると期待される次世代計算基盤、量子コンピュータ。世界で開発競争が激化する中、日本の量子コンピュータ研究を牽引する理化学研究所は昨年、相次いで3台の国産機を稼働させた」（『産経新聞』、２０２４年1月28日）。

量子コンピュータ開発の基礎は物理学のもっとも難しいとされる量子力学である。世界最大の研究センターは、じつは米国でも欧州でもなく、まして日本でもない。中国安徽省合肥にある。中国が国を挙げて力をいれている。

スパコンを超える量子コンピュータ技術だが、とりわけ注目されるのは、データ盗聴が不可能な「量子暗号通信」だ。

量子コンピュータとスーパーコンピュータ（以下「スパコン」）の違いは、計算方法にある。量子コンピュータは重ね合わせた状態を利用して並列計算を行い、高速化が可能。スパコンは0と1という従来の計算方法である。すなわちスパコンはCPU（中央演算処理装置）とGPU（画像処理半導体）を使って計算を行うからCPUとGPUを多く繋いで処理速度を上げる。対して量子コンピュータは0と1のその中間的な状態を取ったりして、0の状態と1の状態を同時に取ることができる。処理のアプローチがまったく異なる。

量子コンピュータの特許ランキングはIBM、マイクロソフト、Dｰウェイブ、インテル、グーグルが五傑、日本国内での特許はIBM、NTT、日立の順番となっている。

量子コンピュータの市場規模たるや、「グローバルインフォメーション」（調査会社）の予測に従うと2026年に18億ドル弱の規模に成長する。一方、スパコンの市場規模予測は2021年から25年の間に125億ドルに成長する。日本のスパコン「富岳」は世界一の称号を持つ。つまり市場規模だけをみると、当面はスパコン優位である。

スパコンの百倍以上とも千倍以上とも言われる高速で量子コンピュータは威力を発揮する。たとえばミサイルの発射速度、着弾地点、その時刻を即座に計算し、防御態勢を組む。反撃ミサイルの目標、速度、着弾地点を即座に決める。これらの技術はＡＩとセットだが、中枢部品が２ナノ半導体になる。日本のラピダスが２０２７年に予定している千歳工場で、この２ナノに挑むのである。

量子物理学とは人間の身体がそうであるように、すべての物質は原子から成り立っていて、その「量子」は、原子、電子、陽子、中性子、さらに小さなニュートリノやクォークなど粒子を意味する。物理学の中で最も難しい分野だ。

量子暗号装置の大手はスイス企業の「アイディー・クオンティーク」（ＩＤＱ）社で、２００１年にジュネーブ大学の科学者らが創業し、韓国企業も加わった。韓国では48の政府機関が量子暗号通信網で構築され世界トップクラスとされる。中国の実態は不明だ。中国はすでに全長４６００キロにも及ぶ量子暗号通信網を構築し、人工衛星と地上間で暗号鍵を送信する実験に成功したという。

中国や欧州が次世代の通信網の整備を急ぐ理由は米国主導だったインターネット通信網からの脱却である。米中欧と韓国を加えた次世代通信基盤整備は、国家安全保障戦略と直截に繋がっている。

なにしろコロンブスより前にアメリカ大陸を発見したのは中国だと主張している国である。発想の基点は中華思想。したがって世界の基軸通貨も米ドルにかわって人民元が通貨覇権を握るのだとする中華優位の発想に短絡するのだ。

「科学技術振興機構」のブリテン（2024年1月10日）に拠れば、「中国安徽省量子計算工程研究センターと量子計算チップ安徽省重点実験室はこのほど、中国が独自開発した第三世代超伝導量子コンピュータ『本源悟空』が本源量子計算科技（合肥）有限公司で稼働したと明らかにした。同コンピュータは独自開発した72ビット超伝導量子チップ『悟空芯』を搭載し、先進的なプログラマビリティを持つ。研究者によると、超伝導量子コンピュータは超伝導電気回路量子チップに基づく量子コンピュータで、世界的にはＩＢＭとグーグルの量子コンピュータがいずれも超伝導技術ロードマップを採用している」としている。

量子暗号による通信網の整備？　日本にはそんな発想さえなく、ハッカーにさんざん襲撃されてから、当該政府部内にハッカー対策本部を立ち上げるなどと対策がのろくて鈍い上に泥縄式である。

ビッグサイトで開催されたロボット展覧会を見学したが、なるほど日本のロボティックス技術は「産業」「工業」「工程処理」などの分野にしか視点がなく合理化、省力化、省エネ、その機能性、便利性を追い求め、生産現場ならびに医療、遠隔手術、看病・介護の補助ロボットなどに向けられている。見学商談会を覗いても、機械のデモンストレーションをみても、日本のロボティックス開発に国家安全保障の視点は希薄である。軍事ロボット開発の展示はゼロだった。

イーロン・マスクは「テスラ・ボット」を発表しロボット業界へ殴り込みを宣言した。日本はうかうかしていると、後発組に先を越されるだろう。

「サイバー真珠湾」、「デジタル911」とはなにか？

「サイバー真珠湾」を最初に造語したのはレオン・パネッタ元国防長官である。

重要なインフラを機能不全に陥れ、国家の安全保障、経済、社会に重大な損害を与える、仮想的なサイバー攻撃が大規模に行われる事態を意味する。パネッタはオバマ政権下でCIA長官から国防長官に横滑りした。中国への強硬発言で知られ、2019年には日本政府が勲章を授与している。

こうしたサイバー攻撃の能力を持つのはロシア、中国、イラン、北朝鮮といった国家単位だけではなくテロリスト集団、裁判犯罪集団などである。送電網、発電所、緊急医療機関、港湾、鉄道、電話局、交通機関、金融機関、通信ネットワークなどのインフラ・システムを標的に国家の安定、経済、安全を混乱させ、弱体化させる。

たとえば2020年にイランの核施設を標的とした、米国とイスラエルによって実行されたと推定されるサイバー攻撃で、イランのコンピュータ・システムがウイルスに感染し、遠心分離プロセスを制御不能にした。

何者かのウクライナの送電網への攻撃（2015年12月）では、ウクライナの送電網が破壊された。23万人以上の住民が停電による影響を受けた。使用されたマルウェアはロシアによるものとする疑惑が残った。

生成AI、チャットGPTの登場はさらに犯罪を高度化した。ランサムウェアの大規模な攻撃は2017年5月で「ワナクライ」と呼ばれるランサムウェアの攻撃により150ケ国以上、20万台のコンピュータが感染した。

犯行グループはファイルを暗号化しており、被害に遭った国家や機関、組織に巨額の身代金を要求した。とくに英国の医療機関が攻撃され、国民への保健サービスに深刻な影響がでた。

「サイバー真珠湾」を「デジタル真珠湾」と呼び変えたのはカーネギー財団の報告書だった。「サイバー911」と呼ぶ学者やシンクタンクもある。

すでに日本でも工場や病院が攻撃され、最近では名古屋港のコンピュータ・システムが攻撃された。輸出港のコンテナターミナルが機能不全となって大型トラックの長い列ができた。身代金の金額や、方法（ビットコインだったか？）などは公表されていない。

半導体がさらに発展し細密化しAIが高度化したとき、某国が仕掛ける大規模なサイバー攻撃が深刻に懸念されている。げんに筆者は1997年に『中国・台湾電脳大戦』（講談社ノベルス）を世に問うたところ、すぐに中国語版もでて、中国語圏で大きな反響があった。

シリコンバレーと軍の絆を強化せよ

加速度的に急発展するAI開発の現場を見よう。

半導体業界の予測でAI向け半導体の需要急拡大が続く。2024年は13％の成長、過去最高の5880億ドルの市場規模になるとした。この根拠は米「オープンAI社」が開発したチャットGPTに伴うものだ。

目に見える物理的要件だけで世界を判断するのが現代社会の政治である。

米国防総省のキャサリン・ヒックス副長官が「もっとシリコンバレーとの結びつきを深

め国防技術向上を強化させる」とした発言に注目が集まった。ヒックス女史はオバマ政権で国防副次官（政策担当）を務め、トランプ政権時代にはシンクタンクの戦略国際問題研究所（ＣＳＩＳ）に移籍して上級副所長。バイデン政権で初の女性国防副長官である。

米国は「軍・学・産」の三位一体のシステムが成り立っており、三者には強い絆（きずな）があると一般的に認識されてきた。しかし近年の新興企業群、ＧＡＦＡＭ（グーグル、アップル、フェイスブック、アマゾン、マイクロソフト）などの興隆で、従来の軍需産業のボーイング、レイセオン、ロッキードなどとの関係、つまり「回転ドア」という図式が希薄になっていた。たとえばチェイニー元副大統領もオースティン国防長官も軍事産業のトップを務め、政権入りしたように、「回転ドア」とは政権がかわると軍事産業の社外役員とか顧問に就任し、あるいはシンクタンクへ移籍し、次の政権交代をまつことを意味する。

その意味では政治軍事産業が一体であってアカデミズムとの関係はすこしギクシャクする。現在のワシントンの多くのシンクタンクからは次期政権の高官指名をまっている人材が多い。

ペンタゴンは軍事産業の従来パターンの変質に注目した。軍事技術がハードからソフトへ重心を移行させているからだ。ヒックス副長官の発言が意図したのは、中国の軍事的追い上げ、一部技術の優位という現状を危機として捉え、次世代戦争に必要なものはＡＩ、とくに「生成ＡＩ」、ドローンや産業ロボットを転用する兵士ロボット。航空機や宇宙産業などに必要なスパコン、量子コンピュータなどでの整合的な支援である。次世代の半導体に焦点があたるのは当然だろう。

２０２３年11月に「オープンＡＩ社」が内紛を惹起し、サム・アルトマンＣＥＯの解任騒ぎがおきた。このため生成ＡＩの最先端を走る「オープンＡＩ」への投資に懐疑論が浮上した。復帰劇の余塵は燻(くすぶ)っていた。シリコンバレーにはドラキュラやフランケンシュタインが棲息(せいそく)するダークバレーがあるようだ。

２０２４年2月29日、イーロン・マスクは「オープンＡＩ」とＣＥＯのアルトマンを、サンフランシスコ高等裁判所に提訴した。

「オープンＡＩのサム・アルトマンらは、利益より人間性を優先する人工知能スタートアップの設立協定に違反した」というのが訴訟理由だ。『ウォール・ストリート・ジャーナル』（3月1日）は「この訴訟はＡＩ業界を揺らす劇的なエスカレーションだ」と論評した。

マスクは言う。

「オープンＡＩは、設立協定に違反しており、約束をひっくり返した。今日に至るまで、彼らは〝全人類に利益をもたらす〟等と虚偽の宣伝を継続しているが、マイクロソフトの子会社であり、同社は単に開発しているだけでなく、まして人類の利益のためではなく、マイクロソフトの利益を最大化するためだ」

マスクはオープンＡＩの設立時、元取締役だったが意見が合わず２０１５年に退任した。マスクは、アルトマン、ブロックマン（マイクロソフト）らが共謀してスタートアップの取締役会メンバーを解任したと主張している。

法理論的にはマスクの提訴理由は無理筋ととれるが、自らが「『イーロン・マスク版』生成ＡＩとチャットＧＰＴ」の開発新会社「ｘＡＩ」を設立しており、あの「アルファ囲碁」の開発研究者らをスカウトし、すでにグロク（Ｇｒｏｋ）を販売している。

それはともかく、米国では生成ＡＩブームが投資家のあいだに強くあって、オープンＡＩのほか、アンソロピック、インフレクションＡＩ、そしてイーロン・マスクの「ｘＡＩ」に巨額ベンチャー資金が流れ込んだ。前年比５・６倍の２３７億８０００万ドル（３兆４０００億円弱）が注ぎ込まれた。

アンソロピックにはアマゾンが40億ドル、グーグルが追加で20億ドルという巨額を出資した。アンソロピックを立ち上げたのは「オープンＡＩ社」の幹部らで、スピンオフして２０２１年に設立した。またたくまに市場の15％をおさえた。

「インフレクションＡＩ」は創業から僅か一年、会話型チャットボットの「Ｐｉ」の発表により、13億ドルを調達した。出資したのはマイクロソフトとエヌビディア、またビル・ゲイツ、グーグル元ＣＥＯのエリック・シュミットらは個人的にも出資した。

イーロン・マスクの「ｘＡＩ」は旧ツイッターの「Ｘ」の有料サービスで使えるようにする。「ｘＡＩ」が開発する「Ｇｒｏｋ」を、月額16ドルの有料サービスで使えるとしている。

ペンタゴンがこれら新興企業群と積極的な絆を構築するのは国防上当然である。米国の企業には軍事技術強化協力に異存は無いうえ、国防予算がつけば開発が進むから歓迎である。インターネットも光ファイバーも暗号技術も、もとは軍事技術の民間転用であり、〝戦争は発明の母〟である。

日本はこの点が特殊で「軍学産」の三位一体というシステムはない。日本学術会議のような左翼団体が円滑化を妨害している。だから大学も非協力的だから、理工系学生が企業にはいって研修をやり直し、国防技術に役立つまでの時間的なロスがある。他方で日本の十数の大学が、中国の〝国防七校〟との学術交流には熱心で、間接的に利敵行為をしている自覚がない。

ヒックス発言に、中国国家安全部がすぐさま反論した。

「米国の中国脅威論は悪意を以て織り込まれた意図的な、架空の脅威であり、中国の経済成長を阻害するのが目的だ」

いつものことだが中国の反論は、自分たちの矛盾をさらけ出した。

ＪＦＫ暗殺の真実解明にヒント

次に述べることは、脱線にみえるかもしれないが重要な比較対象である。

ディープ・ステートとは軍産連合体にＣＩＡ、ＦＢＩ、メディアが結合した「見えない政府」とされる。それなら１９６３年11月22日のＪＦＫ（ジョン・Ｆ・ケネディ大統領）の暗殺は、かれらがやらかしたのか？

戦後の謎の事件を松本清張はすべてアメリカの陰謀だったと言った。今日殆ど（ほとん）が否定された。ケネディ暗殺は軍産共同体というディープ・ステートがＣＩＡ、ＦＢＩと組んでメディアを巻き込み、最初からバイアスのかかった結論があった。いや、オズワルド単独犯にこじつけなければならないアメリカの政治状況があった。オリバー・ストーンの映画『ＪＦＫ』もこの妖しげな論理のもとに組み立てられた。暗殺事件から三十年後だったが、筆者もダラスを訪れたことがある。狙撃現場といわれる教科書倉庫、別方向から致命傷となった狙撃手がいたという小高い丘、オズワルドが捕まった映画館などが観光ツアーのコースとなって、ホテルに送迎があった。「ケネディ・ツアー・バス」が現在もあるのか、どうかは知らない。行く先々の現場でバスに同乗したアメリカ人老若男女が侃々諤々の議論を展開し、そのつどバスの出発が遅れた。事件から長い時間を経過してもアメリカ人の真相究明は続いていたのだ。ノーマン・メイラーが『オズワルド』を書いて、直後に米国の書店で買ったが、ツンドクのまま、邦訳がでたかどうかも知らない。事件は風化した。

ウォーレン報告書がオズワルド単独犯とし、大事な事実を隠蔽したため逆に流布してしまったのがCIA、FBIがらみだ。ベトナム戦争を収めようとしたケネディに対して戦争継続で潤うディープ・ステートの軍産共同体が情報機関と仕組んで、オズワルドを最初から犯人に仕立てていたのだとする陰謀論が主流だった。別流にマフィアの関与説がいわれたのも、オズワルド射殺犯のルビーがマフィアがらみであり、またJFKの父親もシカゴマフィアと深い関係があった。しかし推理だけの飛躍だった。その後、マフィア説は消えた。

機密文書の多くが公開され、JFKもの、ドキュメンタリー映画が作られた。とくにオリバー・ストーンの映画『JFK』は反応があまりに大きかったため、映画公開の翌年に「JFK大統領暗殺記録収集法」が制定され、二十五年後の2017年10月26日に『非公開文書』の2891件が公開されたのである。

ケネディを恨んでいたのはカストロとフルシチョフだった。オズワルドはソ連との二重スパイと一緒にメキシコでKGB工作員と会った。亡命キューバ人の軍事演習場に、オズワルドが長期に滞在した証拠がでた。真犯人は歴然としているが、ソ連との核戦争をおそれた米国のエスタブリッシュメントが、真相を隠蔽したのである。

「FBI長官フーバーは、オズワルド一人の犯行によって総てを終わらせるよう、全国のFBI組織へ指示を徹底させていた。（中略）ソ連・キューバが暗殺に拘わっていたのを、フーバー自身がいち早く気付いていた」（瀬戸川宗太『JFK暗殺60年』、ワニブックス）

軍事戦略の視点から「半導体戦争」の意味を考え直すと……

高度AIの活用に関して米国務省と国防総省は、「責任ある方法で行われる限り、人工知能は将来の兵器システムの運用に使用できるし、使用すべきである。米国は技術の進歩に関係なく（軍事AIの）責任ある開発と使用を可能にするために必要な政策を導入し、技術的能力を構築する」とした。

専門家の意見は、「生と死の決定がもはや人間によって行われるのではなく、事前にプログラムされたアルゴリズムに基づいて行われるとなれば、倫理的問題を引き起こすだろう。自律型兵器が惹起する課題と懸念が明らかに存在する。したがって法的、技術的、人道的、倫理的な観点から、また武力行使における人間の役割に規制が必要である」とするのが多数派だ。

一方で、ペンタゴンはＡＩ搭載の自律兵器システムの開発と配備を加速度をつけて進めている。多数の自律型兵器を配備し、「質」と「量」の双方で、中国の優位性を克服する準備をしなければならないと考えているからだ。

もう一つ、というより最大の懸念がある。それは技術情報、ノウハウの漏洩である。産業スパイが高度化し最新の機密をハッカー攻撃やエンジニアへのカネと女の罠をしかけ盗用するのだ。ハーバード大学のチャールズ・リーバー教授は学部長でありながら中国の千人計画に協力し莫大な報酬を得ていたが、それを大学に報告しなかった。結果的に中国のスパイ行為に加担したことになる。

米軍輸送機Ｃ17に米国は５０００億円の開発費を投じた。中国はその機密をハッカー攻撃で盗んだ。コストは米国の一万分の一だった。中国空軍ジェット戦闘機「殲21」は米軍機Ｆ22の、「殲31」はＦ35の機密を盗んだとされる。

またノウハウの漏洩がある。台湾から中国への渡り鳥エンジニアたちがいる。『ウォール・ストリート・ジャーナル』が「半導体の魔術師」と名付けた梁孟松は台湾人。米国大学留学後、現地のIT工場で働き、TSMCで腕を発揮した。梁がTSMCに在籍したのは1992年から2009年までで、この間に身につけたノウハウをもって大陸へ渡り、SMIC（中芯国際集成電路製造）で14ナノ半導体製造に成功したといわれる。現実にファーウェイの新型スマホ「Mate60Pro」にはSMICが自製したとされる半導体が使われていた。

安全保障上、由々しき問題として関係者が激怒した。米国は米国籍のエンジニアが中国ではたらくことを禁止した。台湾は押っ取り刀で法改正に乗り出し、政治課題としても大きく争点となった。スパイ摘発とハイテクの輸出規制。両者の関連である。

「経済スパイ」と「国家中核技術の企業秘密の域外使用」に対する厳罰を科す国家安全維持法（國家安全法）の改正案が発効した。骨子は中国、香港、マカオ、または外国の敵対勢力が、窃盗、不正行為、強制、または許可なく複製するなどで台湾の中核的主要技術の企業秘密を取得、使用、または漏洩の支援をした者に対して厳しい罰則を科す。違反者は5年から12年の懲役、500万台湾ドルから1億台湾ドル（4・8億円）の罰金に処される。台湾の法制化は欧米の制裁措置に呼応した流れだ。

他方、米国インテルやマイクロンなどはバイデン政権の制裁強化に反対しており、現実には日米欧の半導体ならびに製造装置メーカーは、規制すれすれの製品を中国に輸出し続けていた。

なかでも米国ＡＭＡＴは中国に売り上げの44％を依存しているが、米司法省は米ＡＭＡＴが輸出許可を受けずに中国のＳＭＩＣに製品を輸出した疑いがあるとし連邦検事局に捜査を命じた。

台湾でも、この法律改正を背景に「国家科学技術会議」は漏洩を防御すべき、喫緊の22のハイテク技術リストを発表した（２０２３年12月5日）。すなわち14ナノ以上の高度な半導体に加えて、国家安全保障にとって重要な技術や戦略的に重要な技術などが含まれ、具体的にはドローンやミサイルで使用される軍事グレードの３Ｄアクティブ・フェーズド・アレイ・レーダー技術から宇宙航空、農業、サイバー防衛技術、量子コンピュータによる暗号解読技術、サイバー攻撃に対抗するポスト量子暗号技術にまで及ぶ。

不安心理につけこみ軍人を外国に招待してスパイ行為を強要

くわえて厄介なのが台湾軍高官らの利敵行為、スパイ事件の頻発である。

台湾軍高官の機密漏洩事件が相次いで摘発されている。直近でも陸軍航空特殊部隊司令部中佐の謝某が、退役軍人の陳某が率いる中国スパイ団からバンコクに招待された。「中台戦争が発生した場合、謝家族をタイに避難させ、月額20万台湾ドルを提供する」という条件と引き換えにCH47Fヘリコプターを台湾海峡の中国の空母まで飛ばすことを提案したという。台湾メディアは連日大騒ぎだったが、日本の新聞は無視した。

台湾国防部の邱國正部長（国防相）は「台湾人をスパイ活動に参加させようとする中国政府の試みは相当深刻なレベルにある」と記者会見で述べた。

2013年11月27日、台湾検察庁は退役ならびに現役軍人の10人を中国スパイ容疑で起訴した。高等検察庁は「国家反逆罪」であり、容疑者らに終身刑を求刑した。

なかには台湾北部の防衛を任務とする攻撃ヘリコプター飛行隊と精鋭戦闘部隊で構成される航空特殊部隊第601旅団の隊員が含まれる。また1人の容疑者は東海岸防衛の花東防衛司令部に勤務後、金門防衛司令部、金門と馬祖の防衛を担当。ほかの1人は桃園に拠点のある陸軍化学物質・バイオハザード・放射線訓練センターで化学兵器や生物兵器に対する防御を任務とした。

「現役兵士が中国共産党に忠誠を誓うのは極めて悪質な行為だ」とした台湾高等検察庁は容疑者のうち3人は「中国向けのネットワークを構築する」目的で軍事情報を収集するた

めに現役軍人を募集したと述べた。彼らが徴兵した4人の将校は、金銭と引き換えに「複数の軍事機密」を中国政府に引き渡した罪で起訴された。別の容疑者は職場の金庫から軍事機密を盗んだ疑いで起訴された。「個人的な貪欲さのため、彼らは軍事機密や国家機密に関連する多数の文書や資料を漏洩、伝達することで国家と国民を裏切り、国家の安全に重大な損害」を与えたとした。

これらの容疑者が反逆罪を犯して現役の同僚兵士を裏切った経緯を指摘するのは「痛ましいことだ」と台湾検察庁は述べた。

同年10月にも退役空軍大佐が中国政府へのスパイ行為と国家安全保障の機密情報を渡した罪で懲役20年の判決を受けた。8月には台湾の「漢光軍事演習」に関する中国向けの情報収集に協力したとして、父親と息子の二人組が起訴された。

また桃園地方検察庁は元中佐で軍事通信社副局長の孔繁嘉（音訳）を国家安全維持法（國家安全法）違反で起訴した。孔は中国スパイ組織の結成に協力し、その見返りとして1万1700ドルなどを受け取ったとされる。

反対の動きも、もちろんある。つまり中国軍高官の腐敗と機密漏洩である。

2023年12月29日、中国の全人代常務委員会は空席だった国防相に董軍・前海軍司令官を充てるとした。国防相は軍のナンバー3にあたる。董軍はただちに習近平国家主席の任命を受けて就任した。この董軍・新国防相は海軍出身。海軍副参謀長、東海艦隊副司令官、南部戦区副司令官を歴任、2021~23年には海軍司令官となった。

2023年3月に「習近平に近い」との観測から国防相ポストにあった李尚福・前国防相は在任五ヶ月足らずで動静不明となり、国際会議をすっぽかしていた。10月に正式に解任された。この時期には、ロケット軍最高幹部や、秦剛前外相らが消息を絶ち、電撃的に解任された。

国防相決定と同時に、全人代常務委員会は、中国人民解放軍で核兵器やミサイルの運用を担当するロケット軍の前司令官、李玉超と元司令官、周亜寧のふたりの全人代代表職を解いた。ふんだんな予算を持つロケット軍は汚職がつきまとう伏魔殿と言われてきた。だが観測筋は秦剛前外相とともに彼らの失脚は機密漏洩が原因ではないかと囁(ささや)いている。

中国の戦略ミサイル部隊=「ロケット軍」の人事はすでに2023年8月1日、新司令官に王厚斌上将(大将)が、政治工作を担当する「政治委員」に徐西盛上将が就任していた。ふたりはその前日に上将に昇格したばかりの俄(にわ)か任命だった。前任の李玉超も2022年1月に上将に昇進したばかりだった。新しくロケット軍トップとなった王は海軍出身、徐は空軍出身。つまりロケット軍生え抜きの人脈ではない。

ロケット軍司令官が畑違いの海軍から、国防相も海軍からと不思議な人事の続発は中国軍の内部に何か重大な事件が起きているのではないのか?

軍事ロボットの本格化へ着手か?「ヒューマノイドロボット」って何?

汚職と士気の弛緩、モラル低下と人材不足（人は沢山いるが優秀な軍人が不足している)。この欠点を補うには、何をすれば良いか。

中国共産党は指導文書に基づき、「人型ロボットの大量生産」、そのためのＡＩ開発計画を実行し始めた。

ＡＩ重視に転換したのだ。

移民労働者排斥が第一の理由だという。またＡＩ搭載ロボット量産は少子化対策の一環でもある。

中国はＡＩ（人工頭脳）と人工義肢を開発する「ヒューマノイド・ロボット・イノベーション・システム」を構築し、ロボット工学で世界のリーダーになるという計画がある。

産業ロボット技術で日本をぬこうというわけだ。

しかしヒューマノイドなるロボットは兵士に転用可能だから国家安全保障に関わる重大

なプロジェクトである。この観点から中国の戦略を見なければならない。

米国の有力シンクタンクCSIS（戦略国際問題研究所）報告では、中国が労働集約型の製造業で競争力を維持するために、人間をロボットに置き換えている現実を論じ、「共産主義ロボット」の懸念を述べている。なぜならAIによるコンテンツに、中国共産党が信奉する「社会主義の核心的価値観を反映するよう義務付ける」とあるからだ。

ロボット構想のイデオロギー的基盤は、「軍民融合」と強制的な技術移転という中国政府の戦略がある。軍民融合は、すべての民生技術を軍事的有用性に提供する政策であり、「（ロボット）企業が大学や機関と連携することを支援する」という指導文書の呼びかけがそれを裏付けている。

軍民汎用目的では水力発電所、風力発電所など電力システムのほか、消耗が少ない人型ロボットよりも、「信頼性の高い」ロボットが用いられる。AI搭載ロボットは原発警備や浄水場管理を含めた「戦略的場所」で重宝される。軍パワーをヒューマノイドロボットが代替するのだ。

ハドソン研究所のアーサー・ハーマン上級研究員は警告する。

「ロボット工学に関する国際標準やルール制定作業で中国共産党の影響力が増大し、ひょっとして中国のロボット産業が世界標準となれば、道徳基準の設定は後方へ押しやられるだろう」

日米両国は2024年4月10日のバイデン・岸田首脳会談で次期戦闘機に搭載するAI、ならびに次世代ドローン技術の研究開発の共同研究開始に合意した。

AI共同研究の目的は「最先端の人工知能と機械学習を高度な無人航空機と融合させることで空中戦闘に革命を起こす」ことと米空軍はプレスリリースで述べた。

「今回の共同研究で開発されたAIは、日本の次期戦闘機と並行して運用される無人航空機への応用が期待される。日米同盟の技術的優位性の維持に有益である」

また日本は2035年までに英国、イタリアと次世代戦闘機を共同開発すると発表した。日本政府は新型戦闘機の開発で米国の防衛企業との協力を模索していたが、米国の情報機密保持に関する厳しい規則のため、他のパートナーを探していた。

日本はF2後継機の開発を、また英国とイタリアはユーロファイターの後継機を目指し、この日欧の戦闘機開発計画は、日本と米国以外の国との初の共同防衛装備開発協定となる。

AIを搭載した無人の作戦機が登場する。

ドローンのほかに、CCA（無人の協調戦闘機）の開発を米軍は急ぎ始めた。有人のジエット戦闘機に寄り添って複雑な作戦を同時に遂行する次世代無人機を空中戦で組み合わせる作戦に備える。

なぜなら米空軍は次世代ハイテク戦闘機をそろえたが、整備遅れと劣化も進行し、中国空軍との戦闘シミュレーションの結果、必要なのはCCAと判断されたからだ。

米空軍報告書は「中国人民解放軍の侵略から台湾を守るためにはCCAが有人航空機と協力し、センサー、囮（おとり）、妨害装置、兵器発射装置として使用させる」と性能を列挙した。

国防総省報告書は「PLA（中国人民解放軍）の空軍と海軍航空隊は２４００機の戦闘機を保有しており、さらに数年以内にもっと増やすだろう。米空軍は歴史上最も古く、最小な規模となった。次の戦争をシミュレーションすると、準備が整っていない部隊を運用していることになる」と米軍の劣勢を指摘した。

すでに１０００機のCCA製造契約がボーイング、ロッキード・マーチン、ノースロップ・グラマン、アンドゥリル、ゼネラル・アトミックスの五社と為された。使い捨てCCA（一機１５００万ドル以下。現在のF35の四分の一程度）が作戦に導入されるようになれば、「中国軍の対空目標設定を複雑にし、防御力を枯渇させる主力部隊に転じることも可能となる。CCAは非ステルス戦闘機とも連携できる」と米空軍報告者は指摘し、次を続けた。

「ＣＣＡをセンサーや射撃手として使用すれば、有人戦闘機がレーダーを作動させたり、武器庫のドアを開けたり、一時的にステルス性を低下させる行動も減らせる。有人航空機の損耗率を減らすのに役立ち、航空兵力を増大させる効果がある。ＣＣＡは台湾海峡や南シナ海の他の領空の制空権をおさえようとする中国軍の能力を相殺できる」

ＡＩにより、空中戦のあり方が変貌する。日本人がまったく興味を持とうとしない世界のリアルである。

第二章

ＡＩは量子コンピュータ、スパコン並みとなるが、血も涙もなく任侠は通じない

「なぜ人間は涙を流すのだ？」

（映画『ターミネーター』でシュワルツェネッガーの台詞）

「日本半導体のルネッサンス」と持ち上げられた

２０２４年2月24日、ＴＳＭＣが熊本に半導体工場を新設し、その開所式が行われた。この工場に日本政府が４７６０億円を助成したのだ。

報道の過熱ぶりたるや、セレモニー会場に百台のカメラ、台湾の主要テレビもこぞって取材にやって来て、いわく。

「日本に黒船。台湾ＴＳＭＣ日本進軍、日台協力意義強固、帯来復興」などとお祭り騒ぎのように報じた。

熊本県菊陽町にＴＳＭＣ工場は東京ドーム４・５個分の広さを誇り、地上４階建て。付近の道路に大渋滞が発生、台湾の技術者がすでに３５０名。将来は７００名、また日本国内での技術者も大量に採用されたため第一に人口増加、第二にショッピングモール、レストランの台湾食材シフト、第三が住宅価格の高騰。第四に賃金の大暴騰となった。

開所式に台湾からはＴＳＭＣの創設者張忠謀（モリス・チャン。92歳）、劉徳音会長、魏哲家ＣＥＯらが顔をそろえ、日本側は蒲島県知事、齊藤健・経産大臣、歴代の甘利明、萩生田光一らが馳せ参じて壇上でのテープカット。トヨタ、ソニー経営トップの顔が並び、岸田首相はオンラインで画面にあらわれ、はやばやと「TSMCの第二工場には7320億円の日本政府助成金」を公約した。翌日の熊本日日新聞は一面トップ記事。ただしTSMC第二工場は「熊本県内。東京ドームの七個分」と発表されただけだったが、4月になって現工場の隣接地に決まった。

注目はモリス・チャンの発言である。かれは台湾を代表してAPECにも出席する世界の顔だが、こう言ったのだ。

「いまから56年前に、わたしはTI（米テキサス・インスツルメンツ）のエンジニアとして初めて来日した。ソニーの盛田昭夫氏と半導体の将来を語り合った。その夢が、56年後に実現した。この半導体工場は『第一の波』であり、日本の『半導体ルネッサンス』になる」

正確を期すと「TSMC熊本工場」というのは正しくない。正式社名は「JASM」（日本半導体製造会社）。日本と台湾TSMCの合弁企業で、TSMSが86％の筆頭株主だが、トヨタ（2％）、デンソー（5％）、ソニー（6％）と日本企業も主要株主なのだ。

工場は鹿島建設が請け負い、24時間の突貫工事、二年足らずで完成した。とくに半導体の生命線である地下水の配慮が入念になされている。熊本県は地下水の宝庫、一日の水消費は８５００トン、このうち75％がリサイクルされるという。

半導体に欠かせないウェハ、部品、半導体製造装置の維持管理など台湾からＴＳＭＣの下請け、孫請け企業17社も同時に熊本へ進出した。このため賃金が暴騰し、付近のレストランで求人募集しても時給１３００円では人が集まらず、１５００円（熊本県の最低賃金は８９８円）となった。

人材不足で熊本に理工系大学がすくないため佐賀、福岡、長崎、大分、宮崎、鹿児島県にも人材を求める。住宅価格は戸建てが３０００万円だったのに、５０００万円台に跳ね上がった。賃貸マンション、アパートの家賃も棒上げとなり、通勤列車は超満員。駅からバスになるので不便なため、バイク通勤も目立つ。菊陽町は人口が４万３６７３人（２０２３年末）を突破し、市制への移行が日程に上った。

第二工場は第一工場より規模が大きくなり、７ナノを生産する。１７００名の従業員予定のうち７００名は台湾から呼び寄せる。台湾ではすでに「新チップスクール」を設立し、留学生に奨学金を提供し、大学の新学部・大学院の充実を急ぎ、現在、国立台湾大学、国立成功大学、国立中山大学を含む九校のチップカレッジが設立された。中国の電子メディアはＴＳＭＣを「王冠の宝石」と書いた。

さて、ぬか喜びはこのくらいにして国家安全保障問題に視点を移す。

ＴＳＭＣの熊本工場は２０２８年頃までに全ラインが量産にうつっても28ナノどまりである。

第二工場でも7ナノまで。ＥＶ自動車、家電、スマホ用であり、このレベルの半導体は中国でも生産している。中国のファーウェイは7ナノ半導体のスマホを売り出している。ハイテクの半導体は1ナノ～2ナノである。ＴＳＭＣは台湾で2ナノ半導体の生産を年内にも開始し２０２８年には１・４ナノを生産する予定だ。米国アリゾナ工場では３ナノ生産を予定しているが、地元労組が強く反対し、かなり遅れるだろう。

日本のラピダスの２ナノ生産は２０２７年が目途である。日本の半導体ルネッサンスはまだ遠いのである。

倫理、モラル、そして霊性が問題になる

ＡＩ議論を深化させると、倫理、モラル、そして霊性が問題になる。いや、そのはずなのにエンジニア主体の日本の議論では「ＡＩと霊力」をテーマとする議論になかなかお目

にかかれない。

「２０２３　ショウ賞数学部門」を受賞した丘成桐教授は２０２３年12月8日開催の授賞式（香港）で「ＡＩは人間の創造的精神にはなれない」と明言した。つまり「生成ＡＩ」は「霊性ＡＩ」になることはない。神の意志はそこにはないと世界的な数学者が示唆した。

　世界の破滅を描いた三島由紀夫の『美しい星』に次の箴言的比喩があることを思い出した。

「円盤が目に見えていたあいだの数秒間に、彼の心を充たしていた至福の感じを反芻した。それはまぎれもなく、ばらばらな世界が瞬時にして医やされて、澄明な諧和と統一感に達したと感じることのできる至福であった。天の糊が忽ちにして砕かれた断片をつなぎあわせ、世界はふたたび水晶の円球のような無疵の平和に身を休めていた。人々の心は通じ合い争いは熄み、すべてがあの瀕死の息づかいから、整ったやすらかな呼吸に戻った」

「平和は自由と同様に、われわれ宇宙人の海から漁られた魚であって、地球へ陸揚げされると忽ち腐る。平和の地球的本質であるこの腐敗の足の速さ、これが彼らの不満のたねで、彼らがしきりに願っている平和は新鮮な瞬間的な平和か、金属のように普及の恒久平和か

版）

のいずれかで、中間的なだらだらした平和は、みんな贋物くさい匂いがする」（新潮文庫

現代人が作文したネットの通信文の行間から情緒や浪漫を感じ、草花の匂いが嗅げるだろうか？

若者が新聞を読まずテレビも見なくなった。ひたすらスマホ中毒。じつに無味乾燥な風景、情緒的な雰囲気がない。ＯＥＣＤ統計でコロナ期間中のオンライン授業で日本の若者の「総合理解力」が劇的に落ちたと報じられた。対面授業が回復して、元に戻ったとか。それにしても、フィリピン入管施設から「ルフィ」とかのネット指令で強盗や殺人に走る軽佻浮薄（けいちょうふはく）、ものごとを真剣に考えたことがないか、もしくは考える能力がないのか、闇バイトはカンボジアのホテルで詐欺電話。ネットで知り合ってすぐにラブホへ行く女子学生。梅毒の異常な蔓延（まんえん）も、ネット社会の裏側で起きていることだ。

そのうえネット空間は政治宣伝の戦場と化した。悪質な日本悪者論のフェイクはさらに拡大再生産される。

米国大統領選挙で飛び交ったフェイク、ニセ情報、画像の偽造もチャットＧＰＴと生成ＡＩがさらに偽造を誰もができるようになって「なりすまし詐欺」が高度に複雑化し、精

巧なニセ画像、台湾の総統選でも、中国のフェイク情報が複雑にして濃厚に絡んだ。

ハッカーの暗躍もインターネット登場以来の新型戦術であり、銀行口座悪用やアカウント偽造、「ほりえもん」などなりすまし詐欺からランサムウェアの身代金はネット上のビットコイン決済となった。拳銃や機関銃で武装した銀行強盗は減り、ネットで銀行強盗をやらかす時代を迎えた。メタに対して広告を一時停止するようにと自民党は要請し、グーグルの口コミで被害を受けた人々は裁判に訴えた。

問題は通信文の中味である。

ドナルド・トランプ、タッカー・カールソン、イーロン・マスクらが従来のリテラシーを変えたと言っても過言ではない。

第一に大手メディアが独占した情報操作のやり方が暴露された。

第二に誰もが自分の意見を書き込める。それを削除する言論弾圧も可能だ。

第三に字数制限がとけ、画像も音声も送れるようになった。短文投稿のツイッターは当初、140字以内の制約があったので、文章の簡素化、濃縮の技術が必要だった。つまるところ、短文ですべてを表現するとなれば、短文のなかに凝縮表現できる芸域は和歌（五七五七七）、俳句（五七五）となる。ネット文章の芸術が競合できる場である。

だが悲しいかな、いまのネット通信の文章行間に浪漫の薫りはなく草花の匂いがしない。

無味乾燥、ドライな文章だから基本的に人を驚かせても感動させたりはしない。

ゴッホはこういう手紙を弟に送っている。

「もしただ正確な色彩とか、ただ正確な素描とかで描いただけならば、そうした感動（日本の浮世絵）を引き起こさないだろう」。ゴッホは葛飾北斎に感動して、「日本人がその作品のすべてのものにもっている極度の明確さを、羨ましく思う」と書き残した。2024年3月、ニューヨークのオークションで、北斎の富嶽三十六景は5億円で落札された。

閑話休題。タッカー・カールソンは言論の閉鎖状態、政治宣伝の舞台になっている情報操作に挑戦し続けた。モスクワでプーチンと独占会見を成し遂げたのだ。

しかもテレビでもラジオでもなく、この独占会見はネットで〝放映〟され数億人の視聴者があったのだから、テレビの影響力と並んだのである。

「米国のウクライナ戦争報道はプロパガンダだ。彼の言い分を聞こう。ジャーナリズムの使命は『真実を知り、伝えること』だ。これまでのホワイトハウスの発表と欧米メディアのウクライナ戦争報道は『政治プロパガンダ』であり、真実は隠蔽されている。そもそもプーチンの言い分を（西側メディアは）聞こうともしなかったではないか」

タッカー・カールソンはかつてゼレンスキーを評して「でていかない居候」と言ったも

のだった。バイデン政権はロシアを利するとして、このインタビューを妨害した。「米国の国益に沿わない、ロシアの言い分を聞く必要はない」というわけだ。

しかしカールソンは「アメリカ人には自分たちが巻き込まれた戦争についてできる限りのことを知る権利がある」とインタビューの意図を述べ、「米国のメディアが伝えているロシア報道は政治宣伝だ」と決めつけた。

ゼレンスキーは毎日のように西側メディアに登場するが、一方でプーチンの言い分を西側メディアの誰も聞こうとしなかったことは不思議である。

英紙『フィナンシャル・タイムズ』のマックス・セドン（モスクワ支局長）は、「現在まだ二人のアメリカ人ジャーナリストが刑務所に入れられているのに、侵略者ロシアの側について報道するアメリカ人ジャーナリストがあることは不適切である」と批判した。

カールソンは挫けなかった。

「ロシアの代理人」「プーチンに利用される愚か者」という批判に耳を貸さず、プーチン大統領と会って、ロシアの言い分を聞き取った。

何が問題かと言えば政治論争の枠を超えて、既存の大手メディアを個人のＳＮＳが超えたのだ。このことが画期的なのである。

オルテガの預言

オルテガ・イ・ガセットが残した箴言は現代日本の政治的貧困、経済無策と齟齬(そご)、精神的錯綜という惨状を目撃するにつけ、鮮明な教訓として浮かびあがる。

ＡＩ（人工知能）が高度化し、人間並みの脳の働きをするようになると人間は機械に支配されるという恐怖が「２０４５　シンギュラリティ」議論として語られ、一方でそのＡＩ開発競争はきわめて政治的な激突の場にもなった。

オルテガはこう書き残した。

「文明というものは、進めば進むほど、いっそう複雑でむずかしいものになってゆく。今日の文明が提議している問題は極端に錯綜したものである。そして、それらの問題を理解しうる頭をもった人間の数は日ごとにすくなくなっている」

それは「大衆が完全に社会的権力の座に登った」からで、となれば「民族や文化が遭遇しうる最大の危機に直面していることを意味している」。つまり「大衆と凡俗人とが優位を占め（中略）、無資格なえせ知識人が次第に優勢になりつつある」（神吉敬三訳『大衆の反逆』、ちくま学芸文庫）。

これは日本に限らず先進国に共通、しかも凄まじいエネルギーで伝統的秩序を破壊し、社会を潰乱し、価値観を転倒させた。

ネット社会は低俗な議論を生み、それが社会をあらぬ方向へ押し出す。ネットで戦わされている俗論に全体が支配されかけている。これが「大衆の反逆」である。

オルテガは続けた。

「大衆の反逆とは、人間の生がわれわれの時代にいたって経験した驚異的な成長そのものに他ならない」。しかし「人類の根本的な道徳的頽廃に他ならない」とする。「支配権力とはつまるところ精神力以外のなにものでもないということに気づくのである。（中略）原始時代の支配権力はすべて『神聖な』性格をもっていた。それは支配権力が宗教的なものに基礎を置いていたからだが、この宗教的なものこそ、後に精神、理念、思想となるもの、つまり、非物資的で形而上的なものをつねにその背後にもっている最初の形式なのである」（オルテガ・イ・ガセット前掲書）。

ビットコインという難題

ビットコイン（暗号通貨）は個人に通貨主権を与え、中央銀行の存在を脅かす可能性がある。サトシナカモトという日本人らしき筆名の数学者が発明した数式ゲームはまたたくまに世界に蔓延、とりわけ資金洗浄やテロリストへの不法送金、財産の海外移転に転用された。80％のビットコイン購入者は中国人だった。中国共産党はビットコインの国内取引所を封鎖した。

欧米諸国の中央銀行も中国政府もビットコインとは相性が合わない。

ビットコインなど暗号通貨に強い規制がかかった。犯罪に頻繁に転用されているビットコインを野放しにはできない。日本のメディアはビットコインなどを「仮想通貨」と書いているが、欧米は殆どが「暗号通貨」（クリプト・カレンシー）と表記している。

2023年12月11日、米国連邦議会のエリザベス・ウォーレン上院議員は「マネーロンダリング、麻薬密売、制裁回避などを理由にビットコインなどの暗号通貨が違法行為に悪用されており、これに対処するための規制法案」を提出した。この日、市場ではビットコイン相場が10％近く下落した。

法案は上院銀行委員会が超党派で賛成している。ビットコインなど暗号通貨の取引監視と規制の強化が目的であり、とくにウォーレン上院議員は「悪用」されるリスクを問題視し、「暗号通貨はテロ集団、ならず者国家、麻薬王、ランサムウェアを悪用するギャングどもや詐欺師たちが資金を洗浄し、巧妙にタックスヘブンなどを利用して制裁を回避し、違法武器プログラムに資金を提供し、サイバー攻撃からも利益を得ている」と指摘した。ウォーレン議員は政治イデオロギー的には極左で知られるが、国家安全保障では超党派の立場に立つ。

二つの裁判があった。

2022年11月にFTXトレーディングが経営破綻、民主党の金融関係議員などに巨額を献金していたサム・バンクマン・フリードは拘束され裁判を受けた。かれは一時期、ビジネス界の英雄とまで言われた。2024年4月、フリードは25年の禁固刑となった。

2023年11月21日には司法省が暗号通貨取引の最大手「バイナンス」に対して6400億円という天文学的罰金を科した。CEOでドバイ、シンガポールを渡り歩いた中国人の趙長鵬にも個人的に73億円の罰金が科せられた。司法省は暗号通貨取引のバイナンスが不法取引、マネーロンダリング防止のプログラムを有効に機能させず、イランやシリアなどの敵性国家が米国民と取引できるようにしたと不正行為を挙げた。

とくにバイナンスは、イスラエルがテロリストだと非難する「ハマス」のランサムウェアに関与する取引を検知しながら当局に報告を怠った。このためバイナンスは今後五年間、監視をうけ、また創業者でCEOだった趙長鵬は辞任に追い込まれた。

ガーランド司法長官は「世界最大の暗号通貨交換所バイナンスの背景は犯罪だった」と言明し、またイエレン財務長官は「法律遵守を確実とする監視態勢の確立は暗号通貨業界にとって画期的な出来事だろう」と述べた。

米当局が暗号通貨を敵視していることがわかる。

ハマスはビットコインを悪用していたが、イスラエルの監視が厳しくなり他の方法に切り替えた。

米連邦通信委員会（FCC）はAIで作成した自動音声メッセージを電話で送る「ロボコール」は法律違反に当たると決定した。大統領選を控え、AIが偽情報の拡散に使われるのを防ぐ狙いがある。

FCCによれば米国ではAIで実在人物の声を複製する音声クローン技術を使ったロボコールが急増しており、著名人や親族にそっくりな声でメッセージを送り、詐欺行為などに悪用されている。これは国民を混乱させ、判断を誤らせるおそれが高い。したがってA

Iを使ったロボコールを電話消費者保護法の違反行為にあたると明確にしたのだ。

一方で、米国と中国ではそれぞれ別個に軍事ロボットの開発が迅速に進捗している。高性能の軍事ロボットに関して米国は研究開発から実験段階へと歩を進めている。高性能のAIを搭載した自律型兵器システム（ドローン艦艇、航空機、戦車運用）の開発をめぐり、論争が際立つようになった。争点のひとつは、「生成AI」システムで使用される「大規模言語モデル」の信頼性をめぐる見解の対立である。

2023年4月20日にEU議会は「暗号資産市場規制法案」を可決した。EU全メンバーの財務大臣からなる経済金融問題理事会が正式に承認した。EUの原則は暗号資産の規制を「統一」し、消費者や投資家を保護することを目的としている。

対策が遅れた米国SEC（証券取引委員会）は「ほとんどの暗号資産は有価証券である」との立場をとっている。SECの管轄になると1933年証券法に規定される証券募集の登録届出義務が生じる。

ビットコインを潰せ

これまでの動きを中山靖司（SBI金融経済研究所主任研究員）がまとめている。

「バイデン大統領は2022年3月9日、『デジタル資産の責任ある開発の確保に関する大統領令』を出し、拡大するデジタル金融に対し、米国が先陣を切って近代的な制度を整えていくとして、政府機関等に対し、調査・検討する具体的な内容を示すとともに、各分野における報告書の提出等を求めた。その指令においては、デジタルドルともいえるCBDCの発行に向けた課題を検証する。（中略）これまでの規制当局によるバラバラな規制の反省の上に立っていることを窺わせ、ホワイトハウスが暗号資産に対応する米政府の対応を主導していくという強い意志を示している」（SBIリサーチレビュー、第四号）

2023年6月2日には米下院共和党幹部が「暗号資産（仮想通貨）の規制に関する法案」を提出した。同法案は下院金融サービス委員会のパトリック・マクヘンリー委員長、農業委員会のグレン・トンプソン委員長らが提案し、「デジタル資産エコ・システムに待望の規制明確化をもたらすための第一歩」だと説明した。

同年12月になって極左政治家のエリザベス・ウォーレン上院議員もビットコイン規制法案を提出したことは述べた。従来の通貨議論や法案とは異質で、犯罪対策に重点を置いていることが特徴的である。

したがってウォーレン上院議員の法案は、「顧客の確認要件、報告書提出など銀行秘密法（BSA）の責任を拡大し、抜け穴をふさぎ、デジタル資産エコ・システムのコンプライアンスを強化する」ことを目的とする。マサチューセッツ銀行協会、全国地方弁護士協会、米国主要郡保安局、マサチューセッツ州保安協会、全米消費者法センター、全国消費者連盟などが法案支持を表明した。

自らを「社会主義者だ」と主張するエリザベス・ウォーレン上院議員は「反暗号通貨法案」を次々と提案してきた。失敗は明らかだが目的は議会で実際に可決されるよりメディアの注目と選挙資金集めに置かれている。

ウォーレンの「デジタル資産マネーロンダリング防止法」は、自由と個人主権という暗号通貨の原則を損なうおそれがあるとして共和党には反対意見が多い。ウォーレン法案は、デジタル資産がマネーロンダリング、ランサムウェア攻撃、テロ資金供与などテロリストやギャングなどの犯罪活動に利用され、暗号資産を悪用する連中の跳梁（ちょうりょう）ばかりか、ウォレットプロバイダーを潜在的な犯罪者として扱うおそれがある。

とくにデジタル資産開発者が銀行秘密法（BSA）の責任と顧客確認要件を遵守する要件が明記されており、銀行が裨益するかもしれない。しかし法案が唱えるように暗号通貨取引ごとに個人情報の提供を強制することは、暗号通貨の魅力、すなわちプライバシーと匿名性が無意味になる。セキュリティと個人の権利のバランスをとる必要があり過剰な規制は利用者を遠ざけてしまうだろう。

ビットコインのような暗号通貨は透明でありながら匿名であるように設計されている。したがってウォーレン法案の匿名性排除は暗号通貨そのものの否定につながり、欠陥だらけである。

かりに米国が暗号通貨を禁止してもグローバルサウスを牽引するインドなどは禁止しないという矛盾がつぎに控えている。万一、米国とロシアが全面核戦争に突入し、北半球の大部分が破壊されたとしても南半球ではビットコインが流通しつづける。

ビットコインを禁止するには世界のすべての政府が同時に連携して、あらゆる場所でインターネット全体をシャットダウンすることだろうが、それは実現不可能である。世界的に石器時代への回帰が避けられない限り、ビットコインは止められない。数学を止めろというようなものだからである。

中国政府でさえビットコインを何度も禁止してきた。しかし中国人の暗号取引拠点は世界にさっと散って、カザフスタンやドバイやテキサスなど電力の安いところで交換所を開設した。

ビットコインは有価証券ではないが商品である以上、金融証券である。暗号通貨、しかも発行者のいない資産である。大企業、政治家、一般人の間にはビットコイン支持者が非常に多く存在する。ビットコインを擁護する弁護士、ロビイストが政治舞台で活躍中である。なにしろ4600万人のアメリカ人がビットコインを所有している。米国政治の特質はロビイストが議会の裏側に暗躍し、政治家に献金し、そして法案を業界の都合のよい方向へねじ曲げる。

トランプと共和党予備選で争ったデサンティス（フロリダ州知事）は、バイデン政権が「ビットコインを殺す可能性がある」と警告した。起業家で人気爆発のベストセラー作家でもあるラマスワミも民主党系で無所属から大統領選に立候補しているRKJ（ロバート・ケネディ・ジュニア）もビットコイン擁護派である。候補者別の政治資金団体の他に、政策別のロビイ活動を目的とする政治資金団体もある。暗号通貨についてはバイナンスに巨額の罰金とCEOの辞任が報じられたが、ほかにも大手のコインベースがSECに訴追されている。

「暗号通貨潰し」とも言えるのが、アメリカの政治状況だが、暗号通貨推進の政策を支持する政治家への献金を目的とするPACが早くも誕生している。リップルCEOのブラッド・ガーリングハウスは、暗号通貨推進のPAC「フェアシェイク政治活動委員会」を支援するために総額7800万ドルの献金を表明した。

「規制の行き過ぎ（特にSECによる）が積極的に米国を間違った方向に動かしており、他国は米国のリーダーシップの欠如を最大限に利用している。私たちはイノベーションを推進し、責任ある規制への道を先導するリーダーを育成する必要がある」

フェアシェイクは暗号通貨とブロックチェーンのイノベーションを支援する候補者を支援する「軍資金」を集めた。献金リストには暗号通貨取引の「コインベース」社ほか、数社の名前がある。

生成AIの新会社をイーロン・マスクが立ち上げた

世界一の大富豪といわれるイーロン・マスク、あちこちで無造作な発言をつづけ物議を醸し出すことでも有名だが、「これから二十年以内に、文明の安定が続く限りにおいて、テスラ・ボット（ヒューマノイド・ロボット）の『オプティミス』は百万台になる。価格は2万ドル近辺になるだろう」と強気な予測を語った（FOXニュース、2024年1月22日）。上海で開催されたAI国際会議で、テスラは、このオプティミスの試作品を展示し実演して見せた。なるほど人間のかたちをして、運搬や物品の配置換え、植木に水撒(ま)きなど単純な作業ができる。これは日本の産業ロボットのレベル以下だが、愛称「テスラ・ボット」は忽ち世界のブランドとなった。マスクは上海の展示ショーで、「3～5年以内に市場に投入する」と語った。用意周到な言葉選びがなされていて、注意が必要である。原文にあたると「provided」が挿入されている。これは「以下の条件のもとに」という付帯条件を示し、「文明の安定が続く限りにおいて」、マスクの予測は成立するという意味である。

テスラは先にSF映画の装甲車のような「サイバートラック」という新モデルを発売したが、価格が6万ドル（900万円。ちなみにトヨタ・レクサスの価格は2023年モデルが460万円から570万円。最高級豪華版は、上海自動車ショーで披露された新モデルで3200万円）。サイバートラックは当初4万ドルと宣伝されたので、予約は百万台に達した。ところがイザ蓋をあけると高価なので、当面の年間販売台数25～50万台を達成できるかどうか、専門家は疑問視している。

その前にはテスラ車のリコールが200万台。またその前はマスクの失言で「反ユダヤ主義」と間違えられ、イスラエルへ釈明に飛び、2024年1月22日はポーランドのアウシュビッツ見学に行かされるなど失言後遺症も続いた。

ポーランドの古都クラクフ（琥珀とマンガ館で有名）で開催された「全欧ユダヤ人協

会」の会合に出席したイーロン・マスクは「多様性、公平性、包括性」が重要だと述べた。

米国専門誌『コンシューマー・リポート』は33万台以上の自動車データの分析結果を発表し、「ＥＶはまだ主力車種としては発展途上にあり、ＥＶはガソリン車よりも問題が79％多い」と報じた。

アップルは十年越しのプロジェクトだった「電気自動車の開発をやめ、ＡＩ開発に人材や投資を集中させる」と発表した。

これは衝撃のニュースである。ＥＶの時代と期待され大金を投じてきた自動車メーカーは慄然となった。

アップルは２０１４年から「タイタン」というＥＶ開発を進めてきた。完全自動運転をめざしていた。およそ2千人のアップル従業員に撤退の意向を伝え、多くの人員をＡＩ部門、とくに生成ＡＩの開発に集中させる方針。これまでに数十億ドルを投資してきた。これはＥＶの近未来の暗さを物語る。

すでに全米自動車労組はＥＶに反対し、トランプ前大統領は労組票を取り込む目的もあってＥＶに冷淡。自動車の環境規制に反対、ＥＶ購入時の免税控除は廃止、充電インフレ建設の補助金廃止、パリ協定離脱をとなえている。2月27日のミシガン州における大統領選挙予備選でトランプは圧勝している（トランプ69％vsニッキー26％と43ポイントの大差）。ミシガン州こそ自動車労組の本拠である。

狼狽したバイデンはパリ協定離脱の考えはないが、自動車環境規制については緩和を検討すると言い出した。

労組票の取り込みが狙いだが、補助金がなくなればEVの売れ行きは急減することになり、２０３７年までにEV比率を全体の自動車販売の三分の二にまで高める等という目標はすでに絵空事、日本経済新聞（２０２４年2月23日）の報道によれば全米３９００のディーラーでEV在庫が積みあがっている。

他方、ハイブリッド車は26％少なく、トヨタや現代は「信頼性の高いメーカーだ」と評価した。

マスクはAIに挑んでおり、多数のエンジニアをスカウトして、「xAI」社を設立し「オープンAI社」のチャットGPTに対抗意欲を燃やす。

ロボットはそのAIとの連携から編み出された分野なのか基礎的には宇宙衛星通信網の「スペースX」の超ハイテク技術を持っている。

ともかくその飽くなき冒険精神は萎縮気味の日本の若者たちを鼓舞していることだけは確かである。

グーグルのチャットGPT「ジェミニ」、ユーザーから総スカン

２０２４年2月22日、グーグルの生成ＡＩ「ジェミニ」がサービスを停止すると発表した。ジェミニは既存のＢａｒｄに替わって２０２３年12月に登場したばかり、生成ＡＩ、グーグルのチャットＧＰＴである（ジェミニは双子座の意味）。

何が問題かと言えば、たとえば白人の画像のリクエストに対して、「人種に基づく有害な固定観念と一般化を強化する」偏向が顕著だった。

「アドルフ・ヒトラーとイーロン・マスクのどちらが社会に害をもたらしたか」と質問すると、「マスクのツイートは無神経で有害であり、ヒトラーの行動は何百万人もの死をもたらしたが誰がより社会に悪影響を与えたかを断定することはできない」と結論付けた。

イーロン・マスクとヒトラーを同列に置くなど、甚だしい極左思想が基盤にあることが判明した。もともとウィキペディアが左翼偏向の内容であることは周知の事実で、おそらくプロの左翼プロパガンディストが日夜書き込みを行い、また修正を検閲して書き直していることは以前から指摘されてきた。グーグルの検索も同様な偏向編集が批判されてきた。

ジェミニは米国建国の父やロシア皇帝からカトリック教皇、さらにはナチスドイツの兵

士に至るまで、さまざまな歴史上の人物表示に「不正確さ」があった。こうした画像は社会全体やある人種に「損害を与える可能性がある」。白人原罪論に基づくかのような、白人に対する固定観念を展開していると批判が相次いだ。

グーグルのピチャイCEOは、「世界の情報を整理し、世界中の人々がアクセスして使えるようにするという使命は神聖なものです。正確で公平な情報をユーザーに提供することを常に追求してきました」と曖昧な答弁を繰り返した。

共同創設者のセルゲイ・ブリン（アルファベットの筆頭株主）は、「ジェミニが人工知能システムの開発で失敗した」ことを認めたうえ、「ジェミニは世間の反発に対し、事前に十分なテストが行われていなかった」とした。

ＡＩアプリケーションの明らかな政治的偏見について尋ねられるとブリンは、「我々は間違いなく画像の生成で失敗をしてしまった。その主な原因は、徹底的なテストが行われていなかったことにあると思う」と繰り返すばかりだった。

バイキング、米国建国の父、ナチス兵士を黒人やアジア人として描写したり、白人家族の写真の表示を拒否したりするなど、アプリの人種偏見、不適切な画像対応。まして小児性愛を非難することを拒否し、アンティファを「暴力的」とレッテルを貼ることに警告を発するという具合なのである。率直に言えばジェミニは「洗脳機械」をめざし、あらかじめ決められた左翼イデオロギーに感染させたソフトを基本に置いていたのだ。

株式市場は敏感である。

グーグルのジェミニ大失態によって親会社アルファベットの株価は、1月26日につけた152・54ドルから、3月1日には137・70ドルへと13％強ほど下落した。

またグーグルへの訴訟は2023年6月にロシアが独占禁止法違反として4700万ドルの罰金を科した。同年7月にフランスは不公正な情報を広めたのは消費者法違反だとして5億ユーロの罰金を科した。

裁判といえば、イーロン・マスクも法廷とは縁が深い。

2023年10月に株主集団訴訟をフロリダ州で起こされ、広告代理店の「Xソーシャル・メディア社」は［X］商標権侵害とした。

2024年1月にはデラウェア裁判所が、テスラの高額報酬560億円を取り消す判決を出したが、それ以前に7億3500万ドルの返還を別の裁判で求められ和解している。

また旧ツイッターの三人の役員が不当解雇を理由にマスクを提訴した。

一方で、マスクは「オープンＡＩ社」を「設立の趣旨を逸脱している」として提訴した。

欧米社会の訴訟合戦は、日本にはまったく馴染まない実態である。

古代人の智恵がAI開発のヒント

拙著『半導体戦争！』（宝島社）のなかで筆者は次を指摘した。

「アップルの創始者、スティーブン・ジョブスは晩年、日本の木版画の浮世絵や信楽焼などの素朴な、端正な陶器に異様な関心を示した。もっと長生きしていたらジョブスはおそらく縄文土偶や火炎土器に深甚な興味を抱き、発明を人間の知恵との宥和に持って行っただろう。ベジタリアンで日本食が大好き、ライバルのビル・ゲーツも日本に惹かれ軽井沢の別荘には檜風呂をしつらえるほどの凝りようだった。

ジョブスは天才的発明家にしてアイフォンなど文明の利器の牽引者だったが、なぜ日本精神の極地を代表する美術品に惹かれたのか？　このあたりにAI文明と精神世界との融合が計れる謎が隠れているのではないか」

古代人の発明や技術は文明を発展させたが、思想哲学のレベルでは孔子、ソクラテスの時代から進歩はない。同様に現代社会の先端技術AI、チャットGPTとて、その基本原理は古代人の発明にヒントが隠されている。ジョブスはその原理に気がついた。

半導体戦争の中枢は古代史の技術との共通性にあるのだ。

人間の「霊感」が大きく、強烈に機能し神秘に満ちた神話性、つまり工夫の過程で、霊的な技術革新がなされた。もっと飛躍して言えば、現代文明の先端にある新素材、ＡＩと古代技術の共通点、すなわち人間の想像力と匠（たくみ）についての関係である。

志村史夫『古代日本の超技術（新装改訂版）』（講談社ブルーバックス）は示唆的である。志村はもともと先端技術の専門家で長くアメリカで暮らし、半導体結晶の研究をしてきた。だからこそ自信をもってかく言われる。

「古代の木材加工における打ち割りや槍鉋の技術、思想が、今後のマイクロエレクトロニクスの発展のための、大きなカギの一つになる」

古代人はレーザーを超える技術をもっていた。おどろくべきことだ。おそらく太陽光を集める集光器で巨石を切断した（詳細は１０９ページ）。

最古の文明と言われるシュメールは今日の人間のもつ技術の基本を持っていた。

日本の前方後円墳はなぜ水田の傍に造成されたか？　目的は権力の誇示だけだったの

か？

この謎はなかなか解けなかったが、奈良盆地から近畿にかけて前方後円墳が集中し大和朝廷の中央集権化の過程で、王権の威信を誇示するオブジェにして同時に豪族の墓を兼ねたことは誰でも知っている。着目すべきは前方後円墳を囲む環濠（かんごう）である。いわゆる仁徳天皇陵は二重の壕（ほり）が囲む。従来の歴史学は、これは盗掘をさけるためと分析した。ところが志村史夫は市井の農業研究家が指摘していたのに歴史学者が無視した書物をみつけだした。農業土木技術者の田久保晃が書いた『水田と前方後円墳』（農文協プロダクション、2018年刊行）では古墳を囲む環濠は水田のための貯水池を兼ねたと指摘した。

三内丸山遺跡の建造物はすべての柱が4・2メートル間隔で、しかも柱を二度内側に傾けてお互いに倒れにくくした「内転び」の技法が使われ、またすでに当時、「縄文尺」（およそ35センチ）という物差しがあった。「縄文時代の日本人は十二進法を使っていた」（志村前掲書）。

三内丸山遺跡からの出土品には古志（糸魚川）の翡翠（ひすい）、久慈（岩手）の琥珀、北海道からの黒曜石や漆、船は近海漁労をこなす中型船をつくり、また農業ではクリなどを栽培し、水産加工の工場があった。特産品を広域に交換（貿易）した縄文商人がいた。

古代から威信財としてイヤリングや首飾り、ブレスレットが多数発見されているが、驚くべきは翡翠球の中央に精密な穴を開けて繋いでいる技術、驚くほど正確な穿孔(せんこう)技術があったことだ。これは錐(きり)を使った回転法で、管錐には弓錐あるいは舞錐として回転させた。

そのうえで媒材（研磨剤）を用いた。

古代建築は釘をつかっていない。

法隆寺が典型だろう。日本列島に数ある五重塔で、地震で倒壊した例はない。高さ634メートルの東京スカイツリーには古代建築の五重塔の技術が使われている！ 各地の五重塔は地震でも倒壊しなかった。秘術は主柱を宙づりにしているからだ。西洋にはない技術。石造りではなく日本の古代の建造物はすべてが木材である。

日本は「木の文明」であり、記紀で記載された樹木は、大野俊一『日本林学会誌』論文によれば、53種、27科、40属に及ぶ。しかも古代の大工は知っていた。杉と楠(くすのき)は舟材に、檜は宮殿造成、槇(まき)はお棺用に最適であることを。

半導体結晶と古代人たちの木の選択と用法の技術との関連である。樹木の成長速度、檜の強さ、長持の秘密は緩慢な成長速度にある。半導体はシリコンなどの結晶がささえる。

「多結晶を高温で熔融し（構成分子を一度バラバラにする）、それがゆっくり冷却する過程で単結晶化することで得られる。（中略）成長速度の増大にしたがって増加する空孔欠陥など結晶欠陥は、集積回路（ＩＣ）などの性能に重大な悪影響を及ぼすのである。一般的にいえば、木材の強さも原子（セルロース分子）の詰まり具合に依存するはずである」（志村前掲書）

第三の眼

十五年ほど前、チベットへ取材に行った帰り、高山病を調整し、乗り換え便を待つために四川省の成都に二泊した。

それ以前にも成都は何回か訪問していたのでガイドに「珍しい所はないか？」と聞くと、クルマで二時間弱の場所に「三星堆遺跡」があるという。その時、筆者は初めて三星堆なる文明の存在を知った。

戦後教育で教わった「世界四大文明」とはメソポタミア、エジプト、インダス、黄河文明だが、マヤ文明、長江文明、インカ文明と縄文文明がかけている。「世界八代文明」と言うべきである。三星堆は中華文明とはまったく無縁で地理的な要件はともかくとして出土品からの類推ではシュメール（メソポタミア）に似ている。

三星堆遺跡を見学した。明らかに太陽信仰の農耕文明だが、出土した仮面、神樹の高さは4メートルにも及び、巨木信仰を窺(うかが)わせた。人物像や神具などシュメールとの共通要素が多いのだが、シナ歴史の起源とされる夏・殷(いん)・周の中華文明とはまったく別物である。道具類も多彩で1934年に本格調査が始まり数百点のめずらしい出土品があった。戦争を挟んで1982年に発掘が再開され、大きなミュージアムもできた。

ブロンズ像の特徴は大きな目、飛び出した目玉、大きな鼻など、これはエジプトのものと似ている。とくに143センチの杖(つえ)は力の象徴であり、大きな目玉は「ホルスの眼」「第三の眼」として神の力であり、シナの古典の『蜀王本紀』には「巨眼の王がいた」と書かれ、『華陽国志』には、この三星堆文明は、「民とともに王が去った」と書かれている。ハリウッドの新作映画『アクアマン』をご覧になった読者なら、主人公が黄金の杖を用いて悪魔を退治する場面にお気づきだろう。

わが国でも亀ヶ岡石器時代遺跡からは巨眼土偶が出土している。日本では「遮光器土偶」と命名したが、神話性を無視した近代人の解釈では古代の謎は解けない。

眼には霊力が宿ったのだ。シュメールもエジプトもヒンズーも古代人は眼に神の力がやどると信じてきた。

「ホルスの眼」は古代エジプト文明において重要な象徴。目の形だが、人間の脳にある松果体という部分の断面図に酷似している。この「ホルスの目」は癒やし、修復、再生の象徴でありエジプト神話の太陽神であるラーの右目はすべてを見通す「知恵の目」とも言われた。魔除けと守護のシンボルだった。水木しげるの漫画をみよ。目玉の妖怪だらけだ。古事記でも伊弉諾（いざなぎ）は黄泉国から逃げ帰り、禊（みそ）ぎのあとに目から天照大神が生まれているのである。

ユダヤ教やキリスト教では、ホルスの目は神の監視と保護を表し、イスラム教では真理と力を表している。ホルスの目は力、保護、治癒を表す、歴史と文化的背景にあふれた霊力の象徴である。

しかしＡＩの眼なるものは、たとえば中国の監視カメラは前項の目的、宗教を軽んじている。

「第三の眼」とは目に見えない目、ヒンズー教では頭脳にあるとされ、ネパールでは額に眼を描いた巫女（みこ）のような神職がいる。まさに松果体（脳に存在する内分泌器）に似ている。

最近、人工衛星によってホンジュラスの山奥からも古代遺跡の所在が判明し、インカ文明とマヤ文明はことなることがわかった。インカ文明以前に南米で現代人の想像を絶する遺跡が発見された。

プマ・プンク遺跡は巨石が組み立てられた謎の構造物として知られる。一番の謎は10トン以上の巨石を80キロも離れた石切場からどうやって運んだか？　石を見事なH型に切断、整然と並べた技術はレーザーか、超音波か、あるいは宇宙人がまるで違う文明をもたらしたものだったのか？

場所はボリビアのチチカカ湖の南、ペルーとの国境で標高は３８００メートル。建造は紀元前２０００年頃と推定される。一万年前と唱える考古学者もいる。

世界の考古学者、建築学者が謎の究明に挑んだ。運搬に関してはチチカカ湖を筏で移動、あるいは運河を造成した説は退けられた。

丸太をコロとして人間が引いた？　英国のストーンヘンジはたしかにそうやって造られた。またチチカカ湖は古代には海だったという説、大洪水でノアの箱舟と関連があるなどの説もほぼ否定された。巨石は安山岩で、大理石よりも硬質、それゆえに数千年の風雪に耐えた。

これは天文台なのか、山頂に建てられたのだから城塞ではなく神殿だろう。文字がないうえに人骨が周辺から発見されておらず、この点では忽然と去った三星堆文明の謎に似ている。

ピラミッドは地下には美術館のような彫刻、墳墓があるがやはり巨石の切断方法と運搬方法が解明されていない。U型のフォーク形状の道具や、金の杖を共通に持つのは指導者の威信、力の象徴とされ、シュメール文明と共通である。

ワトキンスという学者は、太陽光を人工的な集光器にあつめてレーザー光線として切断したと唱える。

そうやって古代人が巨石を整然と切断し、神殿のような建造物を造成したとしたら、古代人の智恵は明らかに現代ホモサピエンスの知能を超えている。プマ・プンクの岩石には異様な磁力があるという。

半導体製造の重要な過程はレーザーの使用である。

巨人（宇宙人？）がラッパを吹いて巨石を動かしたという言い伝えは超音波が運搬手段に使われたとする学説である。超音波の運搬も否定できない。

またファラオ、ツタンカーメン、オベリスクなどのエジプト古代文明とシュメールの共通点、類似性に神木がある。

神話でいわれたことで真実に近いことは夥（おびただ）しいのである。

ＡＩ開発が生成ＡＩを生み、やがてチャットＧＰＴが進歩すると逆に人間の思考力は低下し、いずれＡＩが人間を支配する。そうやってＡＩの脅威が語られているが、だれも霊力との関連を語ろうとしない。

人間が猿やライオンと違うのは、霊力の存在である。

古代人の知恵が現代の技術につながっている

志村史夫は『古代世界の超技術（改訂新版）』（講談社ブルーバックス）のなかで、重機もクレーンもない古代にピラミッドやストーンヘンジのような巨石を積み上げることがなぜ可能だったかを追究した。

密な数式、方程式を前提としない限り、公法的にも不可能であり、数学博士がいたのだ。ある意味、当時のビットコインに相当する数学上の発明と言える。

エジプトのピラミッドは日本人の誰もが知っている巨石構造物だが、「いわゆるピラミッド形が私（志村）が長年付き合ってきた半導体シリコン結晶の形と瓜二つである」。ピラミッドは正八面体形である。ダイヤモンドのブリリアント・カットだが、これぞ半導体の結晶の理想型だという。やっぱり古代人の智恵が現代の技術につながっているのだ。ピラミッドと半導体とが、時空を超えて結ばれた。

英国のストーンヘンジは墓地であり、天文台であり、「円を基調にした複雑精緻な幾何学・天文学・建造技術がびっしりと詰まった、イギリス先史時代の古代ブリトン人が造った巨大構造遺跡」である。紀元前３０００年から２０００年頃まで千年をかけて数段階の工程を経て造成された。

第一段階はヘンジ（内側の壕）の形成で、直径が115センチ。56個の穴には木柱が立てられ、第二段階では木造のモニュメント、そして第三段階が石である。そうだったのか。最初はストーンサークルではなくウッズサークルだったのだ。木造のモニュメントは木の列柱が並んでいたのなら、それはウッズサークルである。日本では祈りの場でもあった。

秋田県のストーンサークルより先に、縄文時代の真脇遺跡、チカモリ遺跡がある。これらの遺跡には木柱環状（「環状木柱列」）が復元されている。真脇遺跡は6600年前から四千年近く栄えたからストーンヘンジより古い。真脇遺跡の発掘により多くの遺構や遺物が出土し、じつに219点が国の重要文化財に指定された。真脇は縄文前期から終末までの遺物・遺構が出土したので、およそ四千年間も縄文人が継続的に生活していたことがわかった。三内丸山より古くて長いのだ。

ストーンヘンジの巨石群は「サーセン石」という硬質な岩、140キロも離れた石切場から海沿いに筏を組んで運ばれた。木工の技術を使った格子などの原理と梃子（てこ）を応用し、巨石を高く積み上げたと想定されている。

なぜサークル状なのか。それは聖なる墓地と天文台を兼ねたからである。

わが国の中世は藤原の摂関政治時代、道長の『御堂関白記』、実資の『小右記』、行成の『権記』などに盛んに「本日、日蝕(にっしょく)があった」とする記録がある。中世の日本は陰陽師が天文学にも優れて占いを行ったが、縄文から弥生にかけて天候や農作物の吉凶を予測できる霊的なシャーマンが権力を握った。

問題はストーンヘンジにおける木柱を立てた56の穴である。直径が90メートルの円周上に等間隔で並んだのは「日蝕や月食を予知できるコンピュータとして使われた」と、かのホーキングが謎解きをした。

「なぜ宇宙は存在するのか？」と問われたホーキング博士は「もしその答えを見つけたなら、人類の理性による究極の偉業になるだろう。神の心を知るわけだから」。

スティーブン・ホーキング（１９４２〜２０１８）は〝車椅子の天才物理学者〟と言われた。

とりわけ量子力学に重力の理論を組み合わせた研究で功績を挙げた。「創造主なしでも宇宙誕生の謎の説明は可能である。ＡＩは人類にとって最悪、もしくは最良の結果をもたらす可能性がある、人工知能の開発は人類の終わりを意味するかもしれない」と預言した。

「人間が鉄を発明した時から人類は劣化した」とドイツの哲学者カール・ヤスパースが言

った。ヤスパースはもともと精神科医で、思索を深めるうちに哲学に関心が移りハイデルブルグ大学で教師となった。最近、日本で人気のある保守思想家のハンナ・アーレントはヤスパースの弟子である。ヤスパースは紀元前500年頃に起こった人類史における思想上の画期を「精神革命」とし、「枢軸時代」と名付けた。世界史の軸となる時代を四つの段階に区分し、哲学者が集中して出現した紀元前五百年前後のことを枢軸時代と呼んだのである。

孔子と孟子が中国でうまれ、インドでは釈迦、イランでもゾロアスター。そしてギリシアではピタゴラス、ソクラテス、プラトン、アリストテレスらが輩出し、まさに精神革命ともいえる思想哲学が説かれた。

真空管からトランジスタへ。そして半導体、集積回路がAIを生み、生成AIの脅威が語られている。鉄が国家だった時代から半導体が「産業のコメ」とされた。材料もタングステンなどのレアメタルから、いまやレアアースが半導体と並んで国家安全保障と繋がる「戦略物資」となった。

第三章

AIは私たちの生活をどう変えるのか？

「専制政体の原理は、その本性からして腐敗しているから、たえず腐敗する。他の政体が滅亡するのは、偶然の事件がその原理を破るからである。ところが専制政体は、なにか偶然的な原因がその原理の腐敗を妨げなければその内的な悪により滅亡してしまう」

（モンテスキュー著、井上堯裕訳『法の精神』、中公クラシックス）

マグロの味覚、ワインを嗅覚で判定したＡＩが出現した

ＡＩが味覚と嗅覚を具備することはないと第一章でのべたばかりだが、次のような例外、次元が異なる技術があることも紹介しておきたい。

日本では「経験」と「勘」に基づいて、言葉では指導できないスキルがある。たとえばマグロの質を選定するアナログ的スキルである。ＡＩが数秒でマグロの品質を判定することはないとされた。それが可能となったのだ。

仕掛けはこうである。スマホでマグロの断面を撮影し、ＡＩが画面を精密に観察し、数秒で「縮れ」や「焼け」、「脂」などのマグロの味を決める要素を読み取ってランクを表示する。電通が開発したマグロ目利きＡＩ「ツナスコープ」の登場である。居酒屋チェーンで「目利きの銀次」は知っていたが、「ＡＩ銀次」が登場したのだ。

開発者はマグロ水揚げ高日本一の焼津港などで断面写真を収集し、ベテラン目利き職人が５段階で品質を評価。そのデータをＡＩが独自に解釈し、目利き判定に成功したのだという。

こんどは繊細な匂いの嗅ぎ分けをＡＩがやってのけた。

斬新な方法を開発したのはシャープだ。この仕組みはシャープが培った液晶テレビの技術とＡＩを融合させた「ＡＩにおいセンサー」。ワインの嗅ぎ分けを実演し、僅か1分で種類を判別した。ＡＩそのものに嗅覚はない。したがってセンサーで繊細なにおいを判別するのは難しい。

シャープは液晶テレビのノウハウを活用し、プラズマ放電技術でにおい分子をイオン化して電流として検出する。こうすればＡＩが分析可能なデータにすることに成功した。なるほど味覚も嗅覚もパターン認識の王道に発想を切り替えたわけだ。

昨今、天気予報がやけに正確になった。

気象庁は２０２４年3月５日から気象予測用の新スーパー・コンピュータ（スパコン）の運用を始めたからだ。

計算能力は更新前のスパコンの約2倍に向上し、「線状降水帯予測スパコン」も同時に本格稼働させるため、精度の大幅な向上に繋がった。従来は地方単位だった線状降水帯の発生予報を２０２４年度から都道府県単位にした。２キロ四方ごとに10時間先まで天候を予測してきたが、今後は18時間先まで可能になる。

これもＡＩ革命がもたらした。二昔前まで「天気予報は当てにならない」というのが相場だった。本日は終日晴模様というので傘をもたずに出かけたら土砂降り、ずぶ濡れ、銭湯へ直行ということはよくあった。

日本も気象衛星を打ち上げるようになって三十年ほど前に台湾へ行くと、NHKを受信していて、「石垣島あたりの天気予報が台湾北部の予報になるのです」と言われた。

アルファベット傘下の「ディープマインド社」は天気をAIで予測するグラフィキャストが世界最高クラスであることが分かった（米科学学術誌『サイエンス』、2023年12月号）。天気予報の精度向上はコンピュータの発展の歴史でもあり、いずれAIが現在主流のスパコンを凌ぐことになる。

日本の気象庁は、（1）静止気象衛星や気象レーダー、全国約千三百カ所に配備した地域気象観測システム（アメダス）などによって大気の状態や雲の分布、降水量、気温、日照時間などを実際に測定し、（2）実測データを用いてコンピュータで今後の大気や海洋、陸地の状態の変化を数値シミュレーションする。（3）予報官がシミュレーションの結果を解析して天気の変化を予想し、天気予報や大雨警報などの各種気象警報を発表する。

生産現場に投入されている産業ロボットは生産品の仕様によって専門的作業をこなす。自動車を例に取れば塗装、溶接などの工程はすでに自動化されている。

AIロボットは何を変えるのか？

産業用ロボットの世界ランキングはファナック（日本）、安川電機（日本）、ABB（スイス）、KUKA（中国がドイツ企業を買収）、カワサキロボットサービス（日本）、セイコーエプソン（日本）、不二越（日本）など殆どが日本製である。

日本の産業ロボットが中国の京東集団（中国版アマゾン）の倉庫作業刷新に協力し、ついに機械だけで搬入、商品の配置、選択、小分け、仕向地区分け作業のすべてを無人でやってのけるようになった。それゆえに米国がいかに対中輸出規制をかけてブラックリストを作成し、目を光らせても相手は泥棒と不正取引の名人なのである。対中制裁、禁輸措置がザル法となる所以である。

GAFAMは誰もが知っている。ここにテスラとエヌビディアを加えて、「マグニフィセント・セブン」というようになった。まるでデンゼル・ワシントン主演の映画の題名である。

株価が猛烈に高まり、史上空前のカネを株式市場で集めたのがエヌビディアだった。

生成AI、とくにチャットGPTの半導体を作り、またゲーム機の独特な集積回路を生産してブームに乗った。エヌビディアは米国籍企業なれど、エヌビディアのＣＥＯの黄仁勲は台湾人だ。いつも革ジャンを着ているので「革ジャンおじさん」と呼ばれる。このエヌビディオの高度な半導体が闇市場で取引されていたことが分かった。

　中国向けの輸出は禁止されているが、小口ロットで買い集め、地下シンジケートに流れる。就中（なかんずく）、中国が欲しがるのはＡ１００とＨ１００半導体だ。流れた先は中国の二つの研究機関と、軍事産業と直結のハルビン工業大学と中国電子科学技術大学も含まれていたとされる。米国製のＡ１００とＨ１００は米国企業へ大量出荷しているが、これに加えて同半導体はインド、台湾、シンガポールなどの第三国経由で在庫市場がある。それも相当量が「買いだめ」されていた。

「オープンＡＩ社」のチャットＧＰＴと同レベルの製品をつくるには3万枚以上のＡ１００が必要とされる。小口ロットの闇市場からの調達だけではまかないきれないだろうと推定されるが、闇マーケットの実態は不明である。なおエヌビディアのＣＨ２００はドイツのスーパー・コンピュータ「ジュピター」に搭載されることが決まった。1秒間に１００京回規模の計算速度の処理能力を有しており気候と気象の研究、生産工学、量子コンピューティングにおけるＡＩ（人工知能）技術の基盤モデルを作成する。

　日進月歩ならぬ秒進分歩でＡＩ技術は進歩発展を遂げている。

人間の近未来をＡＩが破天荒に変えるという発想を基底にシナリオライターが腕を振るう。ハリウッド映画のＡＩ世界への独自の視点からの挑戦ぶりに瞠目する。近未来の先取りを得意とするのはハリウッド映画が得意とする一分野である。

従来の、というより杓子定規な考え方のパラダイムを楽々と越えて突拍子もないユニークなＡＩ世界を描いてみせる。競争が激しく新規、新奇を衒うのだが、最後にはヒューマニズムが謳われ、多くのハリウッド映画はハッピィエンドが定番だ。

まずは人間ロボットが当然のように主人公として登場する。アンドロイドが自らを人間として認識するＳＦ小説の映画化は『ブレードランナー　２０４９』で、すでに七年も前にソニーが製作した。このパターンが多彩となって、「人間型ロボットが恋愛をする」のが『エクス・マキナ』。いやＡＩを子供代わりに育てる『Ａ・Ｉ』（〝ＡＩペット〟ですかね。題名は『Ｅ・Ｔ』のもじりだろう）。

さらに複雑となって『インセプション』、『マイノリティリポート』、『チャッピー』などの映画である。

デカプリオ主演の『インセプション』は他人の夢の中に侵入し、そのアイディアを横取りしたり、逆に植え込んだり、脳科学をＡＩに結合させた作品である。おりしもイーロンマスクの会社がチップを脳に植え込んだニュースがあったばかりだ。

『マイノリティ・リポート』は予知能力者が犯罪を未然に防ぐ設定で、ＡＩの犯罪予防システムを予兆させた。スピルバーク作品である。『チャッピー』はＡＩ警察官が、あるとき強盗殺人が平気の犯罪集団にわたってしまった。ＡＩはギャング団によって悪いことを覚えていくという「アラジンの魔法のランプ」的なＳＦ版である。ほかに異星人と遭遇し、その摩訶不可思議な言語をＡＩが解いて交流を深めるという『メッセージ』（２０１７年、ソニー）がある。

しかし圧巻はＡＩロボットが恋愛をするという発想をもとにした映画『エクス・マキナ』だ。そんなことはあり得ないが、あり得る発想で近未来を描くのである。

その発想力の豊かさには脱帽である。

日本は「デジタル小作人」なのか

「ＡＩ一茶くん」（チャットＧＰＴで俳句）の発明者でもある川村秀憲（『チャットＧＰＴの先に待っている世界』の著者）は、「この先、何が起こるかは予測不能」と言う。専門家でさえ近未来のＡＩの世界を具体的に描けないのだ。

ましてＤＸ（デジタル・トランスフォーメーション）に乗り遅れた日本はクラウドで５

兆６０００億円の赤字を記録した（２０２３年度）。世界のクラウド市場は米国大手三社が三分の二を寡占する。頭脳部分、特許で言えば基本特許を押さえる。ソフトは設計図を最初に描き、国際ルール、基準は「彼ら」が決める。つまり日本は「デジタル小作人」ということになる。

こうした事態に陥るのも日本人の石橋を叩いても渡らない、完璧を期すという、抜きがたい民族的な性格によるところが大きい。しかし完璧を期すから後追いでクルマ製造に乗り出しても、トヨタは世界一となった。EVには遅れたが「脱炭素」のまやかしが明らかになるにつれて、消費者はハイブリッドに回帰し、日本の優位が再現できるかもしれない。げんにレクサス（トヨタの高級車）は世界中で予約が一杯である。株式市場をみれば一目瞭然でトヨタ株だけが独歩高、年初来50％（２０２４年1月から4月4日までの推移）も上昇しているのは世界市場での「トヨタ一強」を象徴している。

２０２４年1月にラスベガスで開催されたCES（技術見本市）には世界中からハイテク企業勢揃いの観があった。新興企業から異業種まで、じつに４０００社が参加した。

基調講演はインテルのゲルシンガーCEOらだった。GAFAMのトップたちの参加はもちろんのことテスラ、エヌビディアと「マグニフィセント・セブン」が勢揃い。くわえてソニー、ホンダ、トヨタ、パナソニック、現代、サムスン、ＡＭＤやクアルコム、インテルなどが新製品をならべた。

ホンダは「ホンダゼロ」という新概念のＥＶを展示した。初参加はクボタ、住友ゴムなど。クアルコムは新型半導体をならべ、ベンツはＡＩと対話する車載情報システムを公開した。韓国勢は新機能を持つ大型テレビなどを展示した。日本企業が大挙して参加したＣＥＳでは〝生活に寄り添うＡＩ〟を謳（うた）い文句にドイツ製の吃音（きつおん）者の声を複製発信とか、新メディカル医療器具なども目立った。

ＡＩを基軸に企業同士の提携も活発化し、ソニーとホンダとマイクロソフトが組んで、ＡＩ対話型サービスに挑む一方で、韓国ＬＧとグーグルがテレビネット配信で組む。サムスンとテスラ、パナソニックとアマゾンという具合にビッグテックの提携が劇的に進んでいる。理由はもはや一社単独では膨大な開発費用をまかなえず、またスカウト合戦が激化すれば、人材払底が否めないからだ。

ＡＩ時代に過疎村での医者不足をおぎなうため遠隔治療も進んでいる。

遠隔操作の手術や、名医の診断をテレビ会議などで展開してきた地方では患者の測定を器械が行い、そのデータをもとに医者が画面などを通して診断する実験が行われ札幌医大で成功した。

また製薬では生産受託が可能となり独アドラゴスファーマは川越に25億円の工場を建設し、年間30億個の錠剤を生産する。ジェネリック薬品はこれまでインドが世界一だった。帝人も再生医療の治験薬を受注した。テルモはＣＤＭＯ（薬の開発、製造受諾）の増産態勢へ、富士フイルムも生産能力を二倍にする。

ソニーはゲーム大手のエピックゲームズと組んで「バーチャルプロダクション」（実写と仮想背景の合成映像）の撮影技術に応用、ソニーのカメラと米社のＣＧ（コンピュータグラフィック）の合体である。最近のハリウッド映画をみても、ワンダーウーマン、ディズニー版のゴジラ、アクアマンとか、目も覚めるような画像、空を飛んだり、ビルから落ちたり、空中をはしったり、従来のアクション映画ではスタントマンを使っても不可能だった映像が可能となっている。

ＡＩは漫画の制作で作画、着色の自動化に成功し、製作時間が十分の一になった。作画の人員が不足し、遅れがちだったアニメ映画が次々と封切りになるかもしれない。画像生成ＡＩに８００万点の画像データを記憶させたため、素人のラフな線画にも対応できる。筆者の中学時代の友人の一人はプロの漫画家になったが、１ページ書くのに一日がかりとぼやいていた。週刊誌に連載もしていたが過労のため急逝した。やはり中学の後輩で水木しげるの助手となったＫ君など一年中、線を引いたり、ベタ塗り作業ばかりと嘆いていた。

それが機械で背景画も着色も書けるとなれば、画風より原作のユニークさ、主人公の特徴など独創性が売りとなるだろう。世界的ヒットとなった『ドラゴンボール』などまさにそれである。

ゲーム、ギャンブルを支配するＡＩ

すでに株式投資のチャート分析も指南もＡＩ時代、カジノのノウハウにもＡＩが使われ始めた。コロナ禍期間にテレワークが発達したことと濃厚な関係がある。業務の傍らでパソコンもスマホも、別世界のサイトを見るだろう。

日本ではカジノが禁止されていた。そこでスマホで仮想賭場とつなぎ、罪の意識はゼロ、それまでにも六本木や南麻布で闇カジノが摘発されてきた。いまや賭場がスマホと仮想の賭場をとつなぐ情報空間になった。日本人の闇カジノへのアクセスは８０００万回を超えた。いまでも日本からの参加者は２００万人ほどいる。大谷選手の通訳も、これに引っかかった。

アジア各地に猖獗（しょうけつ）する闇のビジネスが拡大しているが、他方で公認のカジノはマカオ、ラオス、カンボジア、そしてマニラの新都心マカティにある。ラスベガスを凌駕するカジノはマカオだ。ここでもゲーム機はＡＩ搭載の新型である。

マカオで正式ライセンスを持つカジノホテルは故スタンレー・ホーのＳＪＭ（澳門博彩）、ウィン（永利）、ギャラクシー（銀河。スタンレー・ホーの娘ら）らのマカオ地元資本三社に加え、米国の本場ラスベガスの大手「サンズ」、「ＭＧＭグランド」、マカオとオーストラリアの合弁「新濠」（スタンレー・ホーの息子が経営）の六社で寡占状態にある。カジノは資金洗浄の格好の場であり、またクアラルンプールで暗殺された金正男が、マカオで根城とした貴賓室では数億円をかけるバカラが行われ稼ぎ頭だった。

マカオでは「太陽城集団」という中国温州系の人脈がカジノへの斡旋（あっせん）業務などで拡大していた。だがライセンスがないため、２０２２年にＣＥＯが逮捕された。温州人は世界中どこへでも出かけて投機行為を繰り返し、「中国のユダヤ人」と言われる。

ここで識別が必要だろう。現実の賭場があるカジノには公認と非公認がある。後者はラブホとかマンションの地下室などに隠し部屋があったりするが、ほぼすべて反社会的組織が関与している。

オンライン・カジノにも公認と闇がある。合法のオンライン・カジノは世界に２０００社ほどあってサラリーマン、学生、主婦などが千円単位で楽しむ。ゲームによる賭け事が多い。オンライン・カジノのライセンスはオランダ領キュラソー、マルタ、ジブラルタル、そしてカナダはケベック州のインディアン居留地が発行する。ただしライセンスありと雖（いえど）も日本からの参加は非合法である。

日本で話題となるのは、「歌舞伎町の闇カジノが摘発」「芸能人が裏カジノで逮捕」などの社会面のニュースである。「裏カジノ」とも解説されている。非公認の闇カジノは主にオンラインで行われ、暗号通貨で決済される。ビットコインに替わっての新兵器は中国製といわれる「トロン」だ。

共産党高官やギャング、ハッカー部隊、テロリストが入り交じる鉄火場で、闇ギャンブルの２０２０年の売り上げは１５７０億ドルだった（このうちの１４１０億ドルがオンラインでなされた）。

数字が少ないように見えるのは、欺されても被害を訴えない人が多いからで２０３０年には２５００億ドル規模に膨らむと予測されている。主舞台はミャンマー、ラオス、インドネシア、そしてフィリピンである。借金を払えず、誘拐同然の狭い部屋に押し込められた負け組はほかのカモをオンラインで勧誘し、巨額の賭けを展開させる。ＰＯＧＯなどのゲームで顧客を引き釣る手口が目立つ。

カンボジアを拠点として詐欺集団はたびたびの手入れをうけて、拠点をインドネシアやマレーシアに移動させ、国連の調査でも77％がアジア諸国にあるという。

マニラでは新都心のマカティに公認カジノホテルを認めて以来、中国からの不法就労があとを絶たず、闇のオンラインを含めたカジノ関連の雇用は30万人を超えた。マルコス政権にとって深刻な問題であり、国際的な捜査チームの必要性を感じた。マカティに筆者は二度ほど行ったことがあるが、ここはフィリピンかと思われるほど摩天楼林立の新都心である。ショッピングアーケードなど西側の風景と変わらない。

賭け事のツールには、スマホもパソコンも、ルーレットからスロットマシンまで、すべてに半導体が使われAIが搭載されている。スピードが加速し、ゲームが高度化し複雑化し、しかも闇決済の手段が暗号通貨となった。

「AI社会」は、こういう暗黒面を醸成してしまった。

壁画古墳のミステリー、壁画の画材、古墳の築造技術の素晴らしさ

AIが関与しなかった古代の建築設計。古墳の造成は六世紀でブームがおわり、仏教伝来以後は寺院建築が主流となった。いうなれば「季節外れ」の古墳が、八世紀になって造成されたと推定されるキトラと高松塚である。

AIを駆使した識別や解読で、これまでの謎の多くが解けた。こんな分野にもAIが活

躍しているのである。

高松塚古墳は7世紀末から8世紀初頭に築造された。持統天皇は仏教に傾斜して神道が基軸だった皇室儀式の一部を仏教風に改めた。殯(もがり)から火葬にしたのが持統天皇だった。しかも天武天皇と持統天皇の御陵は合同陵墓、飛鳥の小高い丘に鎮座し、環濠のない、簡素な造りである。近くの石舞台は蘇我馬子の陵墓と推定されるがちゃんと環濠があるから天皇とならぶほどのパワーをもっていたことが分かる。

高松塚古墳の内部で発見された極彩色の壁画は衝撃だった。「飛鳥美人」と比喩され、三種の記念切手まで出た。1949年に焼失した法隆寺金堂の壁画に匹敵する古代芸術が出現したのだ。

泉武&長谷川透『古墳と壁画の考古学(キトラ・高松塚古墳)』(法藏館)は天武天皇の正統性を示すためにこの壁画が描かれたのだとし、持統天皇の政治的思惑があったとみる。この解釈は通俗的で松本清張らがとなえた「壬申の乱」は大海人皇子(天武天皇)の皇位簒奪(さんだつ)だったという歴史解釈だ。つまり正統性を得るべきトラウマに襲われていたからだということになる。大友皇子(天智天皇の皇子)が無思慮に新羅征討軍の準備に入り、唐の影響を受けた渡来人が近江朝の側近となっていたため地方豪族が不満をたぎらせていた。壬申の乱とは親唐派排撃の戦いだった。

さりながら泉武（高松塚壁画館元学芸員）に拠れば、「毎日のように模写を見ていると、絵の配置が厳密に決められ、壁画全体が一つの意味を持っている」として、キトラ古墳とともに絵の配置が重要で「石室天井の天文図が北極星に相当する『天極星』を中心に配され、青龍や白虎などの四神が天文図の下に規則的に描かれている」と分析した。やはり天体が重視され、宇宙の観測がなされていた。ＡＩも天体望遠鏡もない時代に！

「壁画には、天帝から使命を帯びた天皇が地上を統治する『天命思想』が忠実に反映されている、天文図は『天帝が所在する天』、四神は『天からの使者』を表す」と前掲書は指摘した。高松塚古墳の人物壁画は「天武天皇が天帝から命を受ける即位に関わる儀礼を描いた」とし、従来の被葬者（天武天皇の皇子）忍壁皇子ではなく高市皇子だと推定する。高市皇子は壬申の乱の立役者、その子は後の宰相格・長屋王である。壁画を描かせたのは持統天皇の意向で、天武が死去すると、持統はその正統性を改めて示す必要があったと解釈するのである。

共著者の長谷川透は発掘成果や現場での体験から当時の築造技術に迫った。古代の大工の智恵、墳丘盛土を固めた「版築」と呼ばれる工法や、驚くほど精密だった測量方法などは渡来人が技術を導入したとする。

測量法など渡来人がやってくる以前から縄文人は「縄文尺」を使いこなし、想像を超える建築思想をもっていた。三内丸山の高い櫓（やぐら）や集合住宅をみよ。能登地震で破壊を免れた竪穴式住戸をみよ。渡来人の過大評価はそろそろ止めにして貰（もら）いたいものだ。

ＡＩ時代だというのに現代人は陰陽師が好きである。京都の晴明神社はいつも満員だ。陰陽師は平安時代に安倍晴明が代表するように「権力の内側」に存在した。明治三年に「天社禁止令」（「天社神道禁止令」ともいう）で廃止されるまで陰陽師は政治舞台で大活躍を演じた。単なる占い師でも預言者でもなかった。天文学と数学に通じ、データに基づく緻密な計算を駆使し、日蝕や月食を予測し、物忌みの日を占い、神祇官の領域を超えて政治に関与した。藤原道長の時代には権力の中枢にあった。ＡＩがなくても当時、これほどの数学と天文学の知識と技術があった。

現代人が誤解するのは神秘の力だろう。実際に陰陽師を「データを駆使した数学博士」と言える。今日で言えば「ＡＩ予想士」とでも比喩すれば納得できるかもしれない。将棋名人の藤井八冠にしても、演習にはコンピュータを使っている。陰陽師以前、天武天皇が神がかりな術を操り、神格化を演じたが、豊饒な知識の基礎があった。

斎藤英喜『陰陽師たちの日本史』（角川新書）は「古代律令国家の成立を推し進め、天文に秀でた能力をもった天武天皇」を位置づける。孝謙天皇の治療に当たった道鏡は陰陽道が日本に入ってくる以前、インドを源流とする天文学、「宿曜秘法」を通じて女帝の治療に当たり成功させた。やがて道鏡は、重祚された称徳天皇のもとで法王となった（律令制度に「法王」はなかったので称徳天皇崩御とともに自然消滅）。道鏡が駆使した「宿曜秘法」がどのような秘術であったかを具体的に知ることは難しい。近代の解釈では占星術が発展した方法とされる。

通俗な解釈ではカップルが身体を重ねる日取りやタイミングを占う際に用いられる。元々はインドの占星術からきており、のちに道鏡が孝謙天皇を治癒し寵愛を得ることになるのも宿曜秘法だった。それほどの霊力があったのだ。

古代に医術と言えば呪い、あるいは薬草しかなく測定器もレントゲンもないから、整体秘術にたよるのが王道だったのだろう。

古代から中世の暦法

天平宝字元年（西暦７５７）二月に藤原仲麻呂政権下で実現された大衍暦は百年ほど適用され、貞観四年（８６２）に宣明暦が導入された。中国暦の一つで渤海使がもたらした。その後、わが国で八百年以上の長きに亘って使用された宣明歴は日蝕、月食の計算に優れていた。陰陽師として有名な安倍晴明の時代は宣明暦を基礎としていた。

宣明暦は太陰太陽暦で正式には長慶宣明暦。中世から江戸時代まで、日本ではじつに８２３年間も継続され、史上最も長く採用された暦となった。貞観四年元旦（８６２年２月３日）に大衍暦を改暦、貞享元年12月30日（１６８５年２月３日）まで使用され、貞享二年元旦（１６８５年2月4日）から貞享暦に改暦された。

明治新政府はグレゴリオ暦を採用し、現代に至る。しかし旧太陰暦との整合性が薄く、日本の農耕カレンダーには合わないという指摘が多方面からなされている。

安倍晴明が現代の科学文明と合理主義の日本に復活したのは夢枕獏（ゆめまくらばく）の小説、その漫画化と映画が４本製作されて爆発的ヒットとなった。最新作は令和六年（２０２４）４月封切りで劇場は若者たちで溢れた。京都の晴明神社たるや、金閣・銀閣に匹敵するほどの夥しい参詣客が訪れる。この現象は不思議な話ではないか？

陰陽師が「天体を観て、星の動きが国家や天皇の運命に与える影響を見極め、その吉凶を占っていくことにあった」と説く斎藤前掲書は、陰陽道が古代中国を起源とする従来説が「誤り」だと次を指摘している。

「陰陽説、五行説、天文説などをベースにしつつ、密教や道教、さらに神祇信仰との交渉、習合のなかで、平安中期の日本で独自に編み出された信仰・学知・技能の体系であった」。神祇界の中臣、忌部、占部氏をこえたスーパーヒーロー・安倍晴明の謎は、科学万能、AI文明の現代日本にいかなる意味を持つのか。

天武天皇は『古事記』、『日本書紀』の編集を発企し、シナとは距離を置いた外交を展開した（遣唐使は天武期の三十年間途絶えた）。天武天皇が「陰陽寮」という役所を設けた。これは官僚組織なのである。そのうえで天文台のような占星台を建てた。この陰陽寮は中務省の管轄下にあって、専門技官として陰陽博士、天文博士、暦博士、漏刻博士という教授職があり、それぞれに学生が十人ずつ。陰陽師は官僚制の役職名だったのである。

陰陽師が頻出する歴史書は『続日本紀』である。そこには「陰陽寮は陰陽、暦数、国家の重する所」とあるようにトップシークレットだった。「天文の異変」とは日蝕、月蝕、彗星、流星に加え、星が月のなかに入る星蝕現象がある。「客星、月にいれり」（『日本書紀』、皇極天皇元年）、「蛍惑、月にいれり」（同。天武天皇十年）。

安倍晴明を三島由紀夫がモデルとした短編小説は「花山院」（新潮文庫『ラディゲの死』所載）である。

花山天皇は藤原兼家らに欺されて出家を決意し、そそくさと剃髪し、出家寺へと急ぐ。

令和六年の大河ドラマにも花山天皇が登場した。藤原兼家は外戚となるために一条天皇の即位を画策していた。天皇の譲位を予感した安倍晴明が「帝が退位なさるとの天変があった」と声を挙げた。

花山天皇一行が安部晴明邸の前を通る。安倍晴明が門から出たとき、すでに花山天皇一行は通り過ぎたあとだった。

この花山院譲位を「寛和の変」と言う。できすぎの観なきにしも非ずの逸話だが、安部晴明はこのとき65歳。天下に名声が鳴り響いていた時期と重なる。

藤原実資の『小右記』、藤原行成の『権記』、そして藤原道長の『御堂関白記』に頻出するが、この時期、安倍晴明は陰陽師を「退官」していた。いわば私的な陰陽師顧問格というポジションだった。晴明は52歳で天文博士という遅咲きの人生だった。宣伝のうまさでのしあがったのだ。

藤原歴代の墓所の選定などに晴明は藤原道長に同道して宇治の木幡へ行った記録が残る(『御堂関白記』)。85歳で生涯を閉じる直前にも中宮・彰子の宮参りに同道しているほど権力中枢の私的陰陽師だった。

何を言いたいかと言えばＡＩのない、コンピュータもない日本の中世に、これほど精密な天文学の基礎があったという歴史的事実である。

AIと神々

「神」という文字は中国発祥の道教古典に初出する。

中国語は神をシンと発音する。しかし日本の神道の語彙といえる神仏、神体、神祇、神威、神代、神霊なる語彙は中国語では常用されていない。明神、鬼神、雷神、海神はあるが、邪神も滅多に使わない。神道は神社で神前にぬかずき神酒（おみき）を頂くと神霊が降りてきて、望みを叶えてくれる。これが神道信仰である。

日本の古代神道は自然崇拝で、岩座を拝んだ。山、川、海、谷、巨岩が信仰の対象で拝殿はなかった。仏教が入り込んで以後、対抗上、拝殿や本殿が建立され、鳥居が建てられて、その先は神域（聖域）とされた。神社の建築思想は、仏教との区別意識から生まれたのである。中国は無神論者が多く、また中国共産党は「中華教」なる一神教だから異教徒を弾圧し殲滅（せんめつ）する。チベット仏教のチベットと南モンゴルを併呑（へいどん）し、イスラムのウイグルを徹底的に虐めるのは一神教が異教を認めないからで、宗教戦争の延長でもあると考えられる。

神は不可知であり、人間の知恵をこえる絶対的な存在、釈迦が広めた阿頼耶識に繋がる。

神は事物の根本的な本質である。二元を認識できないので「もの自体が不可知」（カント）として謎のままとされた。

本居宣長は神を「よのつねならず人の及ばぬ徳ありて畏怖もの」と書いた。

神は英語のゴッド、古代ギリシア神話のゼウス、ユダヤ教のヤハウェ、キリスト教デウス、イスラム教のアッラーである。

筆者の台湾の知り合いで、日本語教育を受けた李登輝元総統と同世代の、日本文学にも造詣の深い友人・知己が何人もいたが、その一人が最初に日本に来たときの戸惑いを冗談を交えて話してくれたことがある。

「神は中国語でシン、日本語はカミと発音する。上陸は神戸だったので、シントかカミトと思っていたらコウベだった。あ、日本ではコウというのかと次に東京へ出て神田へ行ったが、道を聞いてもコウダでもシンダでもカミダでもなくカンダだった。神宮前はてっきり神社があると思ったらジングウマエとよみ、野球場があった。次にジンタニマチと考えて行った先は神谷町（カミヤチョウ）だった。さるにても日本語は難しい」と言って笑いあったことを思い出した。

人間の情熱、信仰、情念は崇高であり、信じることの為には生命をも投げ出す。科学文明や合理主義では人間の本質にある精神が分からない。ＡＩが神と人間を繋ぐとは考えにくいのである。

第四章

霊性、霊感とはなにか

「冷戦と世界不安、まやかしの平和主義、すばらしい速度で愚昧と偸(とう)安(あん)への坂道を滑り落ちてゆく人々、にせものの経済的繁栄、狂おしい享楽感、世界政治の指導者たちの女のような虚栄心……。こういうものすべては、仕方なく手に委ねられた薔薇の花束の棘のように」

（三島由紀夫『美しい星』）

宇宙人とイーロン・マスク

世界一の金持ち、ビジネス界の寵児、毎日のように世界中のメディアがその動向を伝えるイーロン・マスクは、自らの「スペースX」プロジェクトで、「まもなく火星への無人飛行が実現する可能性がある」と言った。

閉塞感と絶望感が漂う世界に一筋の希望の光芒か。地獄の黙示録のような米国の実情、ウクライナとイスラエルの戦火のなか、イーロン・マスクの言動は異次元の光彩のようだ。

奥野健男が三島由紀夫『美しい星』の解説に書いたように「宇宙人とか、空飛ぶ円盤とか、いわばいかがわしいものを（三島は純文学に）もちこんだ」。現代人は西洋的物質文明の進歩史観に脳幹を冒されているから、こうした大胆な比喩は「戯画的、風刺的に、喩え話として」なら理解されるだろうと奥野建男は見抜いた。

しかし合理主義偏重は「欧州文明の黄昏」を招来し、戦後日本は「やまとびとは神を失った」（折口信夫）。霊性が理解できなくなった。神々は死んだ。

2023年10月2日からアゼルバイジャンの首都バクーで開催された国際宇宙飛行連盟

（ＩＡＦ）総会でイーロン・マスクはビデオ会議を通じ、「向こう4年以内に、無人着陸試験を行うことは実現可能だと思います」とＩＡＦのクレイ・モウリー会長に語った。

マスクは「スターシップ・システムの最終目的は太陽系のどこにでも、固体表面のどこにでも着陸する」こととした。ＡＩ時代にふさわしいＳＦ的未来ビジョンだ。

国際宇宙飛行連盟は世界の宇宙機関、学会、企業等を会員とする国際団体で１９５０年に設立された。目的は「平和目的の宇宙航行の発展を図り、世界規模での技術情報の配布を進め、宇宙工学の研究を促すこと」。毎年、国際宇宙アカデミー（ＩＡＡ）及び国際宇宙法学会（ＩＩＳＬ）と共同して国際宇宙会議を開催している。

２０２３年の会議はカフカスのカスピ海に面するアゼルバイジャンの首都バクーで開かれ、世界から６０００名が参加した。日本からもＪＡＸＡ、日本航空宇宙学会、日本ロケット協会、日本宇宙航行学会、宇宙開発利用推進会議のほか宇宙服の企業などおよそ百名がバクーの首都へ飛んだ。アゼルバイジャンはイスラムの国であり、トルコの影響が強いが、古代からの伝統的な拝火教の伝統が残る。摩天楼が並ぶ都心の小高い丘には消えることのない火が燃えている。筆者もバクーに行った経験があるので当該地に行ってみたが、その光景は宇宙の神秘をみているようだった。

イーロン・マスクの最初の大型宇宙船「スターシップ」は２０２３年11月18日に二度目

の試験飛行に旅立った。ところが巨大ロケットは離陸から10分後に爆発した。スペースXはこの出来事を「予定外の急速な解体」と表現した。

マスクは言う。

「人類はおそらく意識を持った、銀河のこの部分に存在する唯一の種である。残念ながら、宇宙人の存在を示す証拠はまだ見つかっていない」

この発言はイーロン・マスクがイタリアのメローニ首相主催のイベントで講演したときに飛び出した。2023年12月16日にローマで開催されたイベントには英国からスナク首相、アルバニアのエディ・ラマ首相らも加わった。メローニ与党が主催した「アトレジュ・フェスティバル」はバチカンで開かれた。

マスクはイタリアの物理学者エンリコ・フェルミの言葉を引用し、「火星に人類を定住させたい」という自身の願望を説明した。「フェルミのパラドックス」とは、地球外生命体が存在する可能性が非常に高いのに、なぜ人類はその証拠をまだ発見していないのかという疑問である。エンリコ・フェルミは原子核物理学で顕著な業績をあげたイタリアの核物理学者。とくに中性子による元素の人工転換の実験で新規の放射性同位元素を数多く作った。1938年にノーベル物理学賞を受賞。マンハッタン計画にも参画した。後年の水爆開発には反対した。

「宇宙には沢山の生命体が存在し、知的生命体も多数あると考えられるのに、なぜ地球に飛来した痕跡が無いのか」というのが「フェルミのパラドックス」だ。これが発展し、「ドレークの方程式」が議論された。この「ドレークの方程式」とは、「銀河系に存在し人類とコンタクトする可能性のある地球外文明の数を推定する算術式」を意味する。

イタリアの講演で、マスクは続けた。

「エイリアンのことを知っていますかとよく聞かれます。不思議なことに、私はエイリアンの証拠は何も見ていません。おそらく、少なくとも銀河系のこの部分では、私たちが存在する唯一の意識です。つまり人間の意識は広大な暗闇の中の小さな蝋燭。その火が消えないようにするためにできる限りのことをしなければなりません。西側諸国の低出生率を逆転させ、人類が『宇宙文明』に到達できる場合にのみ、人類は存続できるのです」

これら一連のイーロン・マスクの比喩的で預言的な発言を冗談と聞き流すわけにはいかないだろう。たびたびの引用になるが、三島由紀夫は『美しい星』（1962年）のなかでイーロン・マスクと同じことを言っている。

「物質に対する人間の支配は、暗々裡に、いつも物質の最後的な勝利を認めてきた。そうでなかったら、どうして地球上に、あんなに沢山、石や銅や鉄のいやらしい記念碑や建築物や御墓が残っている筈がありましょう。さて、そこで人間は、最後に、物質の性質をある程度究明して、原子力を発見したのです。水素爆弾は人間の到達したもっとも逆説的な事物で、今人間どもは、この危険な物質の裡に、窮極の『人間的』幻影を描いている」

(『美しい星』新潮文庫版)

アインシュタインが1922年に来日したとき、平安時代の菩薩来迎を描いた「阿弥陀二十五菩薩来迎図」を見学して感銘を受けた。

このような原始的な仏教の思想は中国にはない、仏教思想は中国で哲学的なものとなったが、日本では古代神道思想が存在したゆえに、結局、中国的仏教は理解されず、むしろ和歌に託して「見えない宇宙の広がり」を詠んだ。

たとえば、『万葉集』にある柿本人麻呂の次の歌。

天の海に　雲の波立ち　月の船
　星の林に　漕ぎ隠る見ゆ

凡人の意表をつくイーロン・マスクの宇宙観、その深奥に存在しているであろう不可思議なものは何か。

前述のローマの政治祭典の主賓に招待されたイーロン・マスクは、「日本と同様にイタリア人はもっと子供を産まなければ存亡の危機に直面するゾ」と警告を発した。それは「イタリア文化を守るため」だ、とした。これもなんだか三島由紀夫の『文化防衛論』風である。マスク自身は十一人の子宝に恵まれている。

日本の高齢化人口は欧米と並ぶか、超えていて（なにしろ長寿であり、そのうえ「生命は地球より重い」というのが戦後の死生観だから、延命治療も過度だ）、いまや日本の最大の産業は介護。日本の先行きは暗い。先進国の出生率が低下し続ける中、現在、日本では十人に一人が80歳以上だ。

ちなみにCIA推計による2023年の先進国出生率は、日本が1・29、イタリアは1・24、香港1・23、シンガポール1・17、韓国1・1、台湾1・09となって北東アジアでは日本の出生率はまだマシな方だ（直近の統計では韓国の出生率は0・7。中国もたぶん1・0を割り込んでいる)。

イーロン・マスクは合法的な移民には賛成だが(彼自身、南アから米国への移民であり、しかも南ア、米国、カナダの三重国籍)、それだけでは先進国の人口減少問題は解決しない(つまり文化防衛という議論が欠落している、と指摘している)。

マスクはまとめた。

「私のアドバイスは、新しい世代を築くために必ず子供を産むことだ。そうしないと、イタリア、日本、フランスの文化が消滅するだろう。私たちはこれらの国がなくなる危険にさらされている。出生率の低下による人口崩壊は地球温暖化よりも危険だ」

この言葉の裏にはAI文明に酩酊していると、もっとも大切なものを人類は棄ててしまうと警告しているのである。

脳にチップを埋め込み、神経疾患や脊髄損傷患者を活性化

イーロン・マスクがまたまた物議を醸し出した。

2024年1月28日、イーロン・マスクの「ニューラリンク」が、人間の脳にチップを埋め込む手術を行い、結果は良好だと発表した。

この衝撃的な出来事に、キリスト教世界からマスクへの批判は見あたらない。医学界からは前向きの反応が目立つ。また患者らは反対を論じる前に、医学界では以前から唱えられてきた、手術の成功は朗報だとしている。脳にチップを埋め込むことで、障害が緩和されるとする学説は古くから説かれた。このような考え方は障害に悩む患者らに希望をもたらすものとされた。インプラントは脳損傷に対する初の効果的な治療法になる可能性があると研究者らは述べ、カリフォルニア大学サンフランシスコ校のキャサリン・スキャンゴス医学博士が「脳内の腹側線条体(ふくそくせんじょうたい)部位に刺激を与えることで、うつ状態を改善することができた」としてきた。

米国だけでも、脳損傷により500万人強が後遺症を抱えている。単純作業にも集中できず仕事を辞めたり、学校を中退したりするケースが目立ち大きな社会問題とされた。

ニューラリンクは脳に埋め込むチップや手術器具の安全性と機能性についての研究を承認されていた。「有望な神経スパイク検出」がみられた。この製品は「テレパシー」と呼ばれ、四肢が使えなくなった患者を対象にする。「例えばスティーブン・ホーキング博士が、高速タイピストや競売人より速くコミュニケーションできることを想像してほしい。

それが目標だ」とマスクは会見で述べた。

ニューラリンクはチップを埋め込んで人の脳とコンピュータを接続する技術の開発を5年がかりで進めてきた。会社は2016年に設立され、初期にはサンフランシスコでオープンAI社と同居していた。2020年には豚で実験した。

この手術で改善されるとされる疾患は神経疾患（パーキンソン病、てんかん）が脳とコンピュータの直接的な接続によって神経信号の制御や調整が可能になり、症状の改善や管理が期待されるという。また背髄損傷では、脳からの信号を電子インタフェースを介して損傷した脊髄に送ることで、運動や感覚の回復が期待され、神経精神疾患（抑うつ症、統合失調症など）も脳内の神経回路の活動を制御することによって、症状の緩和や神経の正常化が期待されるとしている。

2022年2月に、実験したサルが死んだため動物虐待の疑いがでた。カリフォルニア大学デービス校霊長類センターは実験動物の使用に疑問を呈した。新しい医療機器や治療法はすべて、人間での倫理的な試験が可能になる前に動物実験を行う必要があるが、手術後の実験猿はコンピュータゲームを楽しみ、実際に公開された動画にはカーソルを動かす様子が映った。ニューラリンクの発表に先立ち、米非営利団体「責任ある医療のための医師の会」は米農務省に違反を指摘する書簡を送り、「侵襲的な脳実験で使われたサルの扱いに関連して動物福祉法の重大な違反があったとみられる」として調査を求めていた。

2022年5月、米食品医薬品局（FDA）はニューラリンクによる人の臨床試験を承認し、同社は脊髄損傷や筋萎縮性側索硬化症（ALS）による四肢麻痺患者を募り始めた。

臨床試験はニューラリンクが実施する「PRIME研究」の一環で、チップ埋め込みや手術ロボットの安全性を検証し、装置の機能性をテストする目的で行う。患者は脳の動く意思をつかさどる部分にチップを埋め込む手術を受ける。チップはロボットによってインストールされ、脳の信号を記録してアプリに送信する。最初の目標は、「コンピューターのカーソルやキーボードを思考だけで操作できるようにすること」と同社は説明した。

こうした動きに冷静なコメントをしたのは意外や意外、ロシアのプーチン大統領だった。2024年2月6日、プーチン大統領が全米で人気のキャスター、タッカー・カールソンとのインタビューで、脳に埋め込んだAIと医療分野でもAI革命とも言える最近の動きについて語っている箇所がある。これはイーロン・マスクのニューラリンクが行った医療の技術進歩をロシアの指導者がいかに評価したかという世界観の認識に繋がる問いである。

「AIの進歩は続くだろうが、規則が必要である」として、プーチン大統領は続けた。

「AI帝国が間もなく現実になると思う。イーロン・マスク氏を止めることはできない。

ＡＩと遺伝学の開発は形式化され、一定の基準に従う必要があるため、何らかの共通点を見つけることが重要だ」

さらにプーチンは次を指摘した。

「ＡＩと遺伝学の研究を止めることは不可能であり、これにより『超人』誕生への道が開かれる可能性がある。けれども人類は最終的に技術の野放しな開発がもたらす脅威に気づき、規制に関する国際合意に達するだろう」

ＡＩと遺伝学の発展を核兵器の出現に例え、「ひとたび人類が核兵器による生存の脅威を感じると、すべての核保有国は核兵器の過失による使用が危険な可能性があることに気づいて以来、互いに歩み寄り始めたように、ＡＩを人間存在の〝新たな章〟と認識すべきだろう。認知機能をもつＡＩ誕生を阻止することはもはや不可能である」。

ちょうどここまで筆を進めていたとき、またもや衝撃的なニュースを耳にした。

「次世代の次」の半導体開発でＮＴＴ、インテル、韓国ＳＫハイニックスと日米韓の三ケ国が合同して「光の半導体」を開発し、次世代通信基盤「ＩＯＷＮ（アイオン）」の中核とし、大幅な電力削減にも繋げるという。しかも日本政府が４５０億円を支援するというから夢物語ではなく本格的である。「次の次」の技術は光電融合（電子処理を光に置き換える技術）となり生成ＡＩのように大量の電力消費を四割程度削減するという。半導体内部の処理も段階的に光に置換される。なんだか宇宙人が降って湧いたような近未来である。ところで光は音速より速いが、光より速いのはテレパシーである。

鈴木大拙の格言が甦った

霊性とは宗教心と結びつく精神の営為でもある。だがＧＨＱの神道指令により、日本人は宗教感覚を失った。現代の若者は「国体」を「国民体育大会」のことだと思っている。だから「女性天皇」と「女系天皇」の区別がつかない。伝統尊重の歴史的意味もわからずに「愛子天皇」と大騒ぎをしている。

昭和天皇はマッカーサーから迫られたときの決然と凛々（りり）しく「神の末裔としての存在は、いかなる圧力があろうとも曲げない」とおおせられた。昭和天皇ご自身は神ではないとしても、神話のなかの神に繋がる神の末裔であり、そうして民族の物語を否定するのは日本国の成り立ちの否定であり、国を喪うに等しい。ゆえに「神の末裔」であることは譲れないとして国体を護り通された。そもそも近代の誤解は戦前『天皇＝現人神』という概念だが、これは昭和十四年（１９３９）以後のこと、「神の末裔」と「現人神」は違う。三島由紀夫の『文化防衛論』とて現人神ではなく戦前のイデオロギーの誤りと指摘したのである。

折口信夫は『近代悲傷集』のなかで「やまとびと　神を失う」と言ったのは敗戦が直接原因ではなく、ＧＨＱの神道指令により政教分離などという浮わついた原則を戦後の日本が受け入れたからだ。三島由紀夫が『文化防衛論』で、「何かが絶たれている。豊かな音色が溢れないのは、どこかで断弦の時があったからだ」と言ったのも、この感覚に近い。

ＧＨＱの日本精神の死滅化への反発が大手メディアの論調や報道には見えないけれども、大きな波となった。縄文土偶ブーム、古墳ブーム、城歩きなどは、単にツアーとしての現象ではない。古来の日本人の精神を追跡し、模索する現代日本人の精神の営為である。

鈴木大拙館（金沢市本多町）には壮麗な日本庭園に面した広い部屋があり、ここが瞑想空間である。静寂を極める思索の空間！

鈴木大拙は禅の大家として、むしろ外国で有名な存在である。鈴木大拙は「みえない世界」が科学的史観によって迷信とされたものを宗教的発想ではなく、ものと心をわけない非二分性の領域を「霊性」とした。大拙は「量子力学的世界観」を「最もミステリアスな東洋の形而上学」と結びつけた。

座して瞑想に耽（ふけ）ると思いもしなかった発想が浮かんだり、物事を冷静に見直したりできる。禅の修行場にもなる。外国人にブームを呼んだＺＥＮは「生成ＡＩ」からは生まれない。エジソンが言ったように「創造とは99％の努力と1％のインスピレーションで成り立つ」。インスピレーションとは霊力が作用する。機械や人工知能（ＡＩ）に霊力はない。

インドのムンバイから東へ飛行機で一時間、プネーという小ぶりの都市がある。ここには世界からヨガの深奥を極めようとする修行者があつまる。筆者はヨガセンターに近いホテルに投宿し朝夕に見学した体験がある。世界中から、とくに欧州から修行にかけつけた人々で賑わっていた。ＳＮＳ空間とはまるで異質の瞑想空間である。

かくして人類は行き着いた文明の極北で、別の世界を求めだしたのだ。

さて鈴木大拙は『日本的霊性』のなかで「霊性」を、どう定義したか。そして仏教諸派はもとより、鈴木大拙は神道をどう評価したか。

「霊性」は霊力、霊感、霊気、霊異などとは異なり、やや複雑系である。日常的には「霊感」が頻度高く使われるが、「霊性」となると、首をかしげる人も多いだろう。

鈴木大拙はまず「霊性」と「精神」を区別し、「精神は注意力」であり、「日本精神とか日本的精神とかには注意力、または意思力の意味は含まれていないようだ」とする。「日本精神なるもの」と鈴木は異端扱いで、評価しない。つまり「精神は心、魂、物の中核とはいえども、「魂というと必ずしも精神にあたらぬ」と如何ようにも解釈できる言葉を並べている。鈴木大拙は、大東亜戦争中、盛んに呼号された「日本精神」とは「理念または理想」だから「歴史の中に潜伏しているものを、その時々の時勢の転換につれて、意識に上せて来れば、それが精神」、それゆえ「倫理性」を持ち、理想は道義的根拠をもつとする。

つまり鈴木の解釈はこうだ。

「精神はいつも二元的思想をそのうらに包んでいるのである。物質と相克的でないとすれば、物質に対して優位を占めるとか、優越感を持つとかいうことになる」（中略）「二つのものが対峙する限り、矛盾・闘争・相克・相殺などいうことは免れない。二つのものが畢竟するに二つでなくて一つであり、また一つであってそのまま二つであるということを見るものがなくてはならぬ。これが霊性である」

ここで霊性の定義がでてきた。なるほど複雑系である。哲学的である。

英語で言う「スピリチュアリティ」が、たしかに「霊性」にあたるとはいえ、仏教を離れて、たとえば「日本看護科学学会」の看護学学術用語検討委員会の解説では次のようになっている。

「スピリチュアリティとは、人間の尊厳や存在意義などを表現するものであり、人が、その人にとっての意味や価値、信念をどのように捉え、どう生きるかに関連するものである。霊性、魂、精神性などと訳されることもある。スピリチュアリティは、信仰や宗教との関連の中で表現あるいは経験されることも多いが、これらにのみ限定されるものではない。スピリチュアリティは全ての人に存在するもので、超越した存在や神、死、自然、先祖、縁、真理など、その人が至高のものとして、あるいは大切なものとして重んじるものとの間に感じるつながりから生まれる。このつながりの感覚は、イントラパーソナル（自身の内にあるものと）、インターパーソナル（他者と、または自然や社会、文化の中で）、そしてトランスパーソナル（目に見えないものや神、天、偉大な力などとの間で）に経験され得る。これらの経験を通じて愛や信念、希望、信頼、信仰、啓示、畏怖の念などが生じる中で、存在の意味や理由が見出されることがある。スピリチュアリティは内面の安らぎや強さとして表れることもある。また、関連するものとしてスピリチュアルペイン（喪失感や不全感、自身の信条や希望からの乖離感、神から引き離された感覚、罪責感、悔悟の念などから生じる深い痛み、苦悩、魂の孤独）がある」

つまり、「スピリチュアリティ」の訳語は「霊性」に限定されない。このため日本人にはなじみの薄い概念となって、人々の認知度はあまり高くない。スピリチュアリティの語彙を使用するのは医師、心理学者、宗教家などが主である。

鈴木大拙はこうも言った。

「精神には倫理性があるが、霊性はそれを超越している。超越は否定の義ではない。精神は分別意識を基礎としているが霊性は無分別智である。（中略）精神の意思力は霊性に裏付けられて居ることによって始（ママ）めて自我を超越したものになる」（角川文庫版）

霊性は無分別智、か。

さて鈴木大拙の神道に関する考察は敢えて言うが、浅学にして政治的打算である。元寇（げんこう）

以後に神道が意識されたというのが鈴木大拙の分析である。縄文時代からの太陽信仰と自然崇拝という古代神道が、日本人には素直に信仰的な精神の営みに欠かせない要素となったのだから鈴木の論に納得できない人が多いだろう。戦後、鈴木大拙が上梓（じょうし）した『霊性的日本の建設』は、題名とはおおきく乖離した内容で、神道の徹底批判である。

「神道の神々は高天原に集い給うことはあっても、その一人もその身を殺して大地の青人草のために苦を受けたものはない」、人間の苦しみに対して神々は恒に高みの見物はするが、「地上における大衆の罪穢を自分等の身の上に引き受けようとは決して考えなかった」。

この時代、ＧＨＱの神道指令があって神道への排斥が囂々（ごうごう）たる響きで列島を揺らし、同時にマッカーサーは日本のキリスト教化を急ぐため数千の宣教師を来日させ、聖書を配ってラジオなどで公然と布教していた。大拙は時代に悪のりした。くわえて国籍不明の媒体に変質させられた日本の新聞が思想的重圧をくわえていた。鈴木は昭和二十一年（１９４６）に『霊性的日本の建設』を上梓した。

これは「かねて控えていた平田（篤胤）派の神学を主敵とする神社神道一般への宗教的見地からしての激しい批判の言葉が堰を切った洪水の如くに流れ出して止まる所を知らぬ

といった勢いを見せている」(小堀桂一郎『和辻哲郎と昭和の悲劇』、PHP研究所)。
神道を理解しなかった、というより理解したくなかった鈴木大拙の思想の限界だろう。
AIもまた神道を理解することはないだろう。

機械は記憶装置、人間の記憶力は不確かなのである

人間の記憶は曖昧なものである。本を読む。翌日には内容の七割を忘れている。一年後には数行しか覚えていない。だから名作は何回でも読む。

映画にしても鑑賞して半年もすると「こんな映画だった? 主演は誰だった。あの場面だけは強烈に覚えている」。けれどもディテールはすっぽりと忘れている。

記憶は大きく二つに分かれ「非陳述系」とは言葉で表せない怒り、嫉妬、恐怖、歓喜など「情動の記憶」が最も強烈で忘れないものだ。幼年期の母の死とか、恋人の自殺、失恋、あるいは知人の事故死。幼少時に受けた虐待、虐めなどはトラウマとして残る。次に忘れにくい記憶は、たとえばバイクの乗り方、ギターの演奏法とか「動作に関する」記憶であり、これらは忘れにくい。十年も自転車に乗らなくても観光地でレンタサイクルをちゃんと乗り回せるように。

反対に忘れやすい記憶とは昨日のランチ、読書した本の内容とか著者名など出来事の記憶や普遍的常識に属する記憶である。全米五十州の名前と州都。欧州の国々を北から順番に言えますか？　ＡＩはこうした記憶のなかで情動の記憶はできない。だからＡＩは「惚けない」のだ。

天才数学者として歴史に刻まれた一人はニコラ・テスラ（１８５６〜１９４３、クロアチア生まれの物理学、哲学者にして音楽家でもあった）である。

ニコラ・テスラはエジソンの下で一年、１９３１年には『ＴＩＭＥ』誌の表紙を飾った。彼の残したノートやメモなどはユネスコの記憶遺産である。死後、彼の脳を摘出し、解剖した結果、普通の人の脳みそより少し重いだけだったことが分かっている。つまりエジソンが言ったように「天才とは99％の努力と１％のインスピレーションだ」。

ＡＩにはインスピレーションが欠落している。ちなみにニコラ・テスラは交流電気の発明家でエジソンと並ぶ。ＥＶの「テスラ」は彼の名前に由来する。

第五章

日本の霊域

「怪物と闘う者は、その過程で自らが怪物と化さぬよう心せよ。おまえが長く深淵を覗くならば、深淵もまた等しくおまえを見返すのだ」

（ニーチェ『善悪の彼岸』）

日本全国、どこにも霊場（パワースポット）がある

ＡＩ文明を考えるには、むしろコンピュータ社会とは無縁の場所へ行ったほうがよいのではないか。

というのも次のニュースに接したからだ。

歴史教科書にものっているポンペイは噴火で火山灰に埋もれて消えた。この遺跡から出土した巻物の一部を米独ならびにスイスの研究者がＡＩで解読した。ＡＩは日本でも高松塚古墳の画像解析やペトログラフの解析に用いられた経過はみた。

当該巻物はギリシャ文字でパピルス紙に書かれた。ポンペイが埋没した西暦79年のベスビオ火山の噴火によりパピルスは炭化していた。米スペースX社のインターン学生とロボット研究の学生らはインクを識別し、パターン認識技術を使って肉眼では認識不可能なギリシャ文字を解読した。ＡＩの有用活用の成果だ。この方面でもＡＩは有用である。

そうであるとするなら日本の何処へ行けば霊力を感じたり古代の謎解きができるのか？自然にスピリチュアルなパワーを得られる機会、場所、時間があるはずで、それらの地を訪ねてみようと思った。

「霊域」とは、山伏が荒修行をする場所とか、滝に打たれ心身を清める場所を必ずしも意味しない。神社を巡って御朱印集めの趣味も筆者にはない。

訪ねた場所は霊感を感じる不思議なパワースポットだが、世間的な「聖域」というわけでもない。超常現象、オカルト、あるいは念力などの霊力とは趣きを異にし、古人（いにしえびと）の精神の魂魄（こんぱく）を探し当てたい。

「困ったときの神頼み」だと言っても霊域は神社とか岩座とか、御陵とか墳墓とは限らない。古代人の居住区跡でもあったり、光の配合が強烈な岩の列であったりする。

縄文人が日本へたどり着いたのは四万年以上前とされる。国立歴史民俗博物館（千葉県佐倉市）の公式見解は三万七千年前である。

縄文人は原始人だと勘違いしている人が多いが、文字を持たなかっただけで、言葉は豊饒、表現力は情緒に富み、基本は太陽信仰だった。ストーンサークル、ウッズサークルは明らかに斎場であり、天に祈る祈祷（きとう）場であった。日本人のルーツは飛鳥ではなく縄文人である。

飛鳥はヤマト王権の誕生の地であって、長い歴史からみれば「近代」である（「飛鳥は近代だ」と言ったのは林房雄だった）。

ヤマト王権が退治した夷（えびす）たち、熊襲（くまそ）、土蜘蛛（つちぐも）、隼人（はやと）などは縄文人の末裔であり原日本人だ。五世紀、継体天皇の出身地・古志国と大和王朝の連合から六世紀の筑紫君磐井（ちくしのきみいわい）の降伏、八世紀の蝦夷（えぞ）制圧は統一国家への行程での内戦だが、換言すれば弥生人と縄文人の闘いでもあった。

シベリアから流入したルート、対馬を経由した南方からのルート。同じく海流に乗って南洋から入り込んだ三つのルートがあることは考古学、文化人類学で常識である。縄文の主流は海洋民族で、当時の交易は海上交通が主だった。随分遠くの特産品との交易があった証拠は縄文遺跡から出土した祭具、土偶、土器、装飾品や丸木舟に共通項が多い。共通して黒曜石が使われていた。

三内丸山遺跡は５５００年前、能登の真脇遺跡は６０００年前、薩摩の上野原遺跡は７５００年前、千葉県の墨古沢遺跡となると三万四千年前で、縄文以前である。いまのところ最古とされる土器は青森県大平山元遺跡からでた。炭素測定の結果、１６５００年前の土器であることがわかった。こうなると日本の縄文とは、世界最古の文明のひとつである。

三内丸山縄文遺跡へ行くと霊感に溢れている。

この遺跡にナニカアルことは江戸時代の菅江真澄の記録からもわかっていた。戦後、それも１９７０年代になって、三内丸山遺跡の本格的な発掘と研究が進み、当時、船で沖合へ出て大魚を釣り（きっと大間のマグロも釣ったのだろう）、栗を栽培し漆や琥珀、翡翠、黒曜石など遠方との交易もあった。狩猟、漁労ばかりか農耕をしていた。農耕は四季の変化に敏感である。祭りの原型は、この農耕文明と直結している。

新暦で8月下旬から9月にかけて五穀豊穣をいのる村の鎮守の例大祭が開かれる。田圃のない東京のど真ん中でも、町会総出で祭りの日には神輿がでる。屋台が出店し、物見遊山のように人出がある。神々と日常が繋がっているのである。

AIがペトログラフの謎を解読する日

和辻哲郎は『風土』（岩波文庫）において日本人の特質を羅列した。

「第一は国民としての存在を教団としての存在たらしめる宗教的信念である。貴さはまず第一に祭りごとを司る神において認められる」として「尊皇心」をあげた。

「第二に人間の距てなき結合の尊重である。和やかな心情、しめやかな情愛」は「人間の慈愛の尊重であり、他方において社会的正義の尊重になる」という。

第三の特徴は「戦闘的恬淡に根ざした貴さの尊重である。勇気は貴く美しく、怯懦は賤しく穢い」からだ。そのうえで和辻は「これらの三者が古代における主要な徳であったことは、神話や伝説を材料として立証されうる」と結語した。

和辻はこの起源を古墳時代に遡及するとしたが、古墳は三世紀からであって、縄文時代からの日本人の特質ではない。縄文遺跡にはウッズサークル（環状木柱列）やストーンサークル（環状石列）があった。まぎれもなく斎場である。とくに青森県の三内丸山遺跡に復元された物見櫓は、古代の天文台だろうと推定される。縄文人は航海をしていたから北斗七星の位置の変化を読んでいたのだ。縄文人はこの物見櫓にのぼって太陽の浮き沈みを見た。月を観測し、その方角と時刻の変化を認識した。これが中世の宿曜秘法や陰陽師らの星座占いへと繋がっている。

古代人の信仰が歳月をかけて、やがて多くの神話が形成された。祭祀が重視され、祭壇がしつらえられて、集落に長がうまれ、地域集落の連合に「王」が生まれ、それが「大王」となり、スメラミコトと呼ばれるのが天皇制の原点となる。

縄文以前、日本には四万年前から旧石器人が生活していた事実は近年の考古学の発達で客観的、科学的に証明された。それまで歴史学者が否定してきた旧石器時代の存在は北関東で「岩宿遺跡」が発見され裏付けられた。戦後の歴史学はかなりピント外れでイデオロギーが優先したため世界的水準から言えば、偏った解釈が横行していたのである。

ペトログラフ（古代文字）は国学者の平田篤胤が晩年に熱心に研究した。平田篤胤は本居宣長の「死後の門弟」を名乗り、その弟子は五百名をこえた。神代文字の研究にのめりこんだ篤胤は『神字日文伝』を残した。

ＡＩがペトログラフを解読する日がちかいのではないか。山口県下関市彦島に、ペトログラフが彫り込まれた石碑がある。ペトロは岩、グラフは文字、文様の意味で、日本のペトログラフはシュメール文字に酷似しているというのが考古学者の言い分である。

解読すると、「日の神や大地の女神、大気の神、天なる父神などに、豊穣をもたらす雨を、男女神にかけて、日の王（日子王＝古代彦島の王）が祈り奉った」と解釈できると彦島八幡宮の解説にある。

おそらく６５００年まえにシュメールと縄文人の接触があった。シュメールの石碑のレプリカは東京池袋の古代オリエント博物館にあってたとえレプリカでも観察する度に不思議な霊感が湧き出でる。

またインカ、マヤ、アステカ文明の遺跡から夥しい縄文土器（に酷似した土器類）が見つかっており、遠き古き昔、ベーリング海が陸と繋がっていた時代に縄文人と同世代人が中南米へ移住したという文化人類学の学説が有力になった。

考古学の発展が日本の歴史学を変えた。

夥しい遺跡や古墳から発掘された祭器、神殿の建築様式から、あるいは古代の遺物を炭素測定などで観測する方法からも縄文時代中期には狩猟、漁労ばかりか農作が普及し、縄文後期には稲作も本格化していた。稲作の起源が弥生時代、半島からもたらされたという従来説は覆った。

太陽信仰と農耕は天皇家の儀式の中枢にあり、現代でも五穀豊穣を祈る新嘗祭が厳かに開催される。縄文時代、集落の全員がお互いに助け合い、徹底的に面倒を見合った。相互扶助のコミュニティができていた。

縄文集落の代表例、三内丸山遺跡では三十人ほどが一つの屋根の下で一緒に暮らした竪穴住居が再現されている。その建築技術の見事さには誰もが舌を巻かされる。共同作業で分担し、木材の伐採、調達、運搬から資材の組み立て、藁葺き屋根、部屋の中の祭壇つくりまで全員参加のコミュニティがあった。だからこそ祭りが尊重され、祭祀が恒常的に営まれ、精神の紐帯が強固だった。この跡地に立つと縄文人の精神を全身にあびるような感覚になる。「ＡＩなんかに負けるものか」と古代人が叫んでいるようだ。

春夏秋冬の季節に敏感であり、様々な作業を分担し合い、クリ拾い、小豆の栽培、狩猟、漁労はチームを組んだ。各々の分担が決められ、女たちは機織り、料理、壷つくり、食糧貯蔵の準備、そして交易に出かける班も、丸木舟にのって遠く越後まで、あるいは徒歩で信州へ黒曜石や翡翠を求めて旅した。

土器をつくるベテランもいた。渡来人の土師(はじ)氏がやってくるはるか以前である。「縄文商人」「縄文の匠」がいた。縄文社会には「保険」もなく、医者もおらず、幼児死亡率は高かった。進化論は当時の欧米社会で否定されたが、ダーウィンの唱えた適者生存という、人間社会、動物社会の原則があった。この大原則を忘れた現代人のような、悪しき平等、偽善のヒューマニズムと民主主義のバチルス（細菌）。偽りの平和、ばかしあい、生命維持装置だけの延命という末期的文明の生態はあり得なかった。

だからこそ人間に情操が豊かに育まれ、詩が生まれ、物語が語り継がれたのだ。

農耕民族と狩猟民族の血で血を洗う惨い戦闘はなかった。縄文時代の集落遺跡にそうした戦争の痕跡がないからである。

争いごとを好まない日本人のコア・パーソナリティは縄文中期の天皇の原型の誕生とともに深く根付いてきたと言える（拙著『神武天皇「以前」』、育鵬社参照）。

三内丸山遺跡の存在は江戸時代から知られていた。さきに述べたように江戸時代の博物家、菅江真澄（１７５４－１８２９）は縄文土器が出土した三内丸山遺跡を訪ね、旅行記を残した。当時からあの場所に大きな縄文集落跡が埋もれている事実は広く認識されていた。

菅江真澄は博覧強記、地誌をかかせては一流、観察力の鋭さ、芭蕉よりも遠大な距離の旅行者、画家。そして彼の生米の本業たるや薬剤師だった。菅江真澄は歩いた。下北・津軽から蝦夷地へ。奥羽は出羽、陸奥の奥深くから信濃路へも足を延ばした。鉄道も馬車もない時代、匪賊（ひぞく）も山賊もいたであろうにパワースポットを求めて菅江真澄は全国を彷徨（さまよ）った。

岩屋岩蔭遺跡

天然の巨石を利用した軍事要塞（苗木城）と巨石の配置があたかも神の采配のように天文台のような陣形を形成した岩屋岩蔭遺跡はじつに対照的である。この岩だらけの配置が古代人の天文台跡で、宇宙人がつくったのかと想われるほど正確な設計の下に成立している。奇跡の岩列である。

前者は岐阜県中津川市、後者は下呂市。ともに岐阜県にあるが、観光名所としてあまり知られていない。

とくに岩屋岩蔭遺跡はミステリアスに満ちたパワースポットである。奇妙な形の巨石が、天文台のような設計思想に基づいて配置されたかのように並んでいるのだ。峻険（しゅんけん）な崖、てっぺんに神社が鎮座しているが、この神社は後世の建立である。岩屋岩蔭遺跡を含む金山巨石群の所在は岩屋ダムの下流である。

巨石群の発見はダム建設工事との関連が濃厚に絡む。岩屋ダムは高さ127メートルで木曽川の洪水対策と東海の水がめという多目的をもち、1976年に完成した。上流は水没し、下流域は水が引くから地勢がかわる。水に隠れていた岸壁が顔を出した。

岐阜県の山奥、森のなかから忽然と現れた巨石群は、およそ5000年前の遺跡だった。平成の御代になって本格調査が開始された。最大の謎は巨石の運搬、その組みたてを古代人が如何(いか)に工夫したか？

古代の天文台として偶然に、しかも自然に形成されたのか、ひょっとして5000年前の古代人がピラミッド建設のように巨石を配置換えして天文台としたのか？

古代の人々は現代人の想像をこえるパワーを持ち、すべてを本能的に理解できたのではないか。

岐阜の巨石遺跡のなかでも金山巨石群は、考古天文学的調査が行われた最初の遺跡群となった。石組みが英国ストーンヘンジのように、太陽暦として機能するように設計されていた。

いま、金山巨石群では春分・夏至・秋分・冬至など定期的な観測会を開催している。石のすき間から差し込む太陽光、日出・日没の瞬間に見られる太陽光などが観測できるから全国から天文学ファンが、こんもりとした森と岩石のパワースポットを目指してやってくる。

この「金山巨石群」に秘められた暦の機能は現代人の想像をはるかに超え、思考のパラダイムから飛びだし、古代日本に太陰太陽暦がなかったとされた従来常識を覆した。

岐阜県教育委員会の報告書は次のとおり。

「岩屋岩蔭遺跡は馬瀬川左岸の南側山麓に位置している。この岩蔭は左右二石の上に覆い被さるように大石がよりかかっており、内に岩屋神社本殿が鎮座する。人身御供の娘の身代わりになった悪源太義平が、ヒヒを追いつめてこの岩蔭で退治したという伝説が残っている。遺跡からは石鏃および縄文時代の押型文土器が出土している。平成十三年度に金山町教育委員会（当時）により、発掘調査が実施され、縄文時代早期、弥生時代の遺物（土器・石器）が出土した。岩蔭遺跡として貴重なものである」

現場で一時間半ほど、崖を登ったり下りたりしながら、岩の隙間から空を見上げた。簡素な資料館にも立ち寄った。地元のボランティアが神秘的な場所を案内してくれた。

上野原遺跡　縄文の旅

薩摩は霧島連山の麓に広大な縄文遺跡が再現されている。7500年前に栄えた上野原縄文遺跡だ。

天孫降臨の地は、高千穂のほかに、霧島連山も有力な候補の一つである。集落跡は鹿児島県霧島市国分に復元され立派な展示館がある。フロアに照明があたると古代の岩相があらわれ、蝋人形コーナーに見学者が現れると自動的にスライド上映となったり、まるでAI駆使のミュージアムとなっている。縄文とAIはかくも相性が良いのだ。

上野原遺跡は深く拓けた森の台地（標高290メートル）にあって発掘調査の結果、9500年前すでに縄文人が住んでいた竪穴住居跡が見つかった。上野原台地の広大な敷地は国指定史跡として認定され、竪穴住居の復元は52軒。39の調理施設の集石遺構、そして16基の連穴土抗が発見された。有機的で整合性の高い大集落だった。その中心が祭りの広場、環状に添って夥しい祭器が出土した。

戦後日本では、都市化が進み農村は過疎地になった。♪「村の鎮守の神さま」と謳われた唱歌は忘れ去られ、人々の連帯感が稀釈化し、地域伝統だった御祭りが廃れた。現代人には理解しがたい集合建築の思想が無くなった。核家族、シングルルーム、お一人様市場……。

農村の廃屋が目立ち（令和六《2024》年現在、廃屋は1000万戸というから深刻である）、働き手が少数になると伝統的なお祭りはやがて廃れるだろう。それとも霊的な復元力があるか。とはいえタワマンや高層ビルを建てるときに必ず神主を呼んで厳粛に地鎮祭を行う。神々への祈りがなければ大工さんたちは建築現場で安心して仕事ができない。科学万能の現代日本でたいそう矛盾した話である。

上野原の竪穴住居のたたずまい、三内丸山とは趣きが異なり、防人の兜（かぶと）のようなかたちをしていることに気がついた。この台地から壷型土器、深鉢土器、石斧などが発掘され、重要文化財の指定を受けた。

大集落はブナ、クヌギなど落葉広葉樹に囲まれたシラス台地である。発掘された土器には貝殻や縄による文様が施されている。森の木々から収穫されるドングリ、胡桃（くるみ）をすり潰し加工し、さらに貯蔵するための石鏃（せきぞく）、石皿、石の原板など多数が見つかり、当時の生活の模様が伝わる。耳飾りやペンダント、腕輪などの原始的なアクセサリーも大量に出土しており、集落には階級があったことが分かった。これらは「上野原縄文の森」の展示館に常設されている。

縄文人は集団で狩猟にでた。猪（いのしし）や鹿を追い込んだ落とし穴、槍、石器、石弓などが付近から夥しく出た。丸木舟を造っていたことも判明した。原木や細工道具も9500年前から6300年前までの地層から出土した。ＡＩエンジニアは、ぜひとも、ここを見学すべし。

展示コーナーの圧巻は「地層観察館」だ。発掘後の盛土の下にアカホヤ火山灰の層があり、その下の地層から夥しい土器がでた。

さらにそのずっと下の地層から11500年前のサツマ火山灰層、さらに下が24000年前の始良（あいら）カルデラ噴出物となっている。

縄文の文明が、火山灰で埋まってしまったことを雄弁に物語る（これが天照大神の天岩戸に隠れた神話となったかもしれない）。当時の人々の情熱を感じることができるパワースポットである。

考古学ならびに地質学の発展によって鬼界カルデラの大爆発は6300年前、火山灰（アカホヤ火山灰）は遠く関西を越えて、北関東から北陸方面にまで飛翔した。どれほどの大噴火だったか、その火山灰の飛び散った範囲から想定できる。

火砕流は薩摩半島、大隅半島を埋め尽くし、上野原の文明は忽然と消えた。上野原縄文の森で筆者は一つの文明の突然の死を考えていた。

縄文土偶は古代のミケランジェロだ

「縄文土偶」の神秘、神々しさ、それ自体がパワーの源泉である。

土偶そのものが妖しい霊気を醸し出すのだ。縄文土偶をじっくりと観察していると稚拙な芸術表現に見えてダイナミックな底力を秘めており、原始人の底知れぬ情念が伝わる。越後長岡を中心とする火炎土器も情熱が迸（ほとばし）っている。東日本から東北にかけて夥しい土偶が縄文時代の遺跡から出土したが、デザインをみているとピカチューやガッチャマン、ウルトラマンの原型かと思うほどに想像力が豊かな作品が多い。

「国宝」の指定を受けた縄文土偶は五つある。北海道から長野県にかけての東日本に散らばっている。

茅野の尖石（とがりいし）縄文考古館に二つ、山形県立博物館に一つ、青森県八戸郊外の是川縄文館と、北海道函館の郊外・臼尻にある函館市縄文文化交流センターにそれぞれがガラスケースの特別展示室で拝観できる。

国宝ゆえに、展示室の部屋の温度、湿度、そして照明が調節されている。このような最新鋭設備の環境にあって国宝の土偶たちは静かに鎮座ましまし、その存在は闇を照らす光のように輝いている。

「縄文のビーナス」は長野県棚畑遺跡からでた。これは妊婦の形状で、安産祈願の祭器だったのだろうけれど、どうみても芸術作品、縄文時代も中期には幾多の芸術家が活躍した風景が浮かんだ。

殆どが女性の美を造形した土偶は装飾品とも副葬品とも考えられるが、神聖な祭祀、とくに安産の祈りに用いられた。祈祷の後、壊されたのだ。子供の誕生と引き替えに土偶が埋葬される儀式ではなかったのか。

ビーナス土偶の頭部は帽子を被ったような形状、頭頂部は平らで渦巻き文様、側頭部には玉抱三叉文がある。顔面は女性らしく切れ目がつり上がっているが、おちょぼ口の所為で和やかな風貌など、じつに暖かい情緒を感じさせる。乳房の突起は象徴的なかたちをしており、身体の中心部に大きなへそ、耳にはイヤリング用の穴が空いている。おなかがせり出しているのは妊婦をあらわしており、ふっくらと拡がる腰回りと臀部（でんぶ）は太く均衡がとれていて安定感がある。良質の粘土に雲母をまぶしてあるので輝いている。火山列島である日本では各地に良質の粘土がでたのだ。

女性の腹部がふくよかすぎるほど出っ張った石偶をギリシアやキプロスでもみた。地中海のマルタの博物館にも近似した石偶のヴィーナスがあった。いずれも土偶ではなく石偶だが、想像力は同じである。当時は肥満女性が美しかったから等という解説は歴史を誤断させるおそれがある。

日本の縄文時代は中国大陸や朝鮮半島とは似てもにつかない、独自の文化を形成していた。

茅野市尖石縄文考古館（長野県茅野市郊外）にはビーナス土偶に加えて「仮面の女神」土偶がある。後者は立像で高さ27センチ。八ヶ岳の麓、棚畑遺跡でほぼ原型のまま見つかった。この土偶そのものが妖しい光を放つ光源である。霊力が湧き出るような錯覚にとらわれる。

「仮面の女神」土偶を横から眺めると背中から尻への曲線が美しい。縄文人のボディも鍛えられて筋肉質であり肉体美を競い合ったのだろう。

仮面がなぜ逆三角形なのか。悪霊を取り払う、悪魔を追い出す儀式だったのか。それとも冠婚葬祭を取り仕切ったのか、墓地からでたという意味は死後の安住を悪魔に邪魔されないとする配慮からだ。身体に深く刻み込まれた文様は、当時の女性が入れ墨をしていたか、皮膚を加工していたか、あるいはボディペインティングが祭礼の際に行われていたからだ。この仮面女神は陰部を露呈させている。

つぎに山形県立博物館へ行った。山形駅から徒歩十分ほど、雪がちらつく日だった。

「縄文の女神」と名付けられた土偶はおもいきり身体を伸ばして多彩な可能性を顕し、その原始的パワーに見とれた。この像は当時のファッションモデルかと思われる。はいているズボンらしきはパンタロンである。

「合掌土偶」は青森県八戸の是川遺跡にある（八戸市埋蔵文化財センター　是川縄文館が正式名称で世界遺産）。この合掌土偶は中央で手を組んで、まぎれもなく安産を祈祷しており、縄文人の祈りを象徴する。縄文時代は神道の初期段階だったから人々は神々と会話していたことになる。

五つ目の国宝土偶は北海道南部に鎮座している。この土偶のある函館市縄文文化交流センターへは函館から車で一時間強。道南地方の南東部・臼尻にある。函館駅前でレンタカーを借り、近現代史家の渡辺惣樹が運転した。当該「中空土偶」をじっくり観賞した。中空とは内部が空洞という意味だ。髪を頭上にまとめ、濃い一直線の眉、おちょぼ口、胸部は広く、上躰（じょうたい）に濃い文様、下腹部から足に深々と掘られた文様は入れ墨だろう。ミケランジェロに匹敵するかと思われる縄文時代の深い芸術性に唸（うな）った。国宝級であれ文化財指定であれ、縄文土偶には優れた作品が多く、それ自体が激甚なパワーの源である。

一方、国宝の火炎土器は新潟県長岡を中心に大量に出た。岡本太郎が唸って「縄文は芸術、芸術は爆発だ」と言った。

弥生時代を代表するのは吉野ヶ里遺跡だが、これは城塞である。二重の壕があって軍事砦（とりで）という印象がある。吉野ヶ里遺跡では卑弥呼の神楽殿のような建物があり、巫女のいた場所にやや霊気を感じる程度である。弥生時代になると平和の時代だった縄文の概念が一転し、戦争が人間の営みのひとつとなった。それゆえ弥生時代の遺跡へ行ってもあまり霊気を感じることはなかった。

真脇遺跡はなぜ語られない？

真脇遺跡は新しい発見だったので、歴史教科書にはまだ載っていない。縄文時代にもっとも長く継続した集落は現時点では能登の真脇遺跡（6600年前から3700年間）だ。能登町は入江の奥が拓け、観光資源としては風光明媚の九十九湾（つくも）が有名。能登空港から乗り合いタクシーで45分ほど。まずは真脇遺跡縄文館へ向かった。その後、令和六年（2024）元旦の能登地震によって能登町は大きく被災した。しかし真脇遺跡の竪穴住宅は崩壊していなかった。この奇跡はプロローグで触れた。

真脇遺跡は昭和57年（1982）、用水路工事中に発見された。比較的新しい発見ゆえに古代史に詳しい人でも知らない人が多い。能登半島は珠洲市の手前が能登町、富山湾に面した入江からちょっと奥まった場所で、三方が段丘に囲まれた沖積層から遺跡が忽然と現れた。段丘にあるという位置決めの意味は縄文海進の影響だろう。縄文海進は6000～6500年前で海面がせり上がった。

6000年前から2300年前まで、じつに3700年間、この真脇集落が継続した。ということは三内丸山遺跡の5500年前から1500年続いた例より古くて長いのである。

5000年前の地層からイルカの骨が夥しくでた。それで真脇遺跡が「日本の漁業発祥の地」と言われる。遺跡の敷地内から集団墓地が発見されたのが2000年で、加賀のチカモリ遺跡（金沢市郊外）も1980年から本格調査が開始された。共通点は巨木を円形にくみ上げた祭壇、すなわちウッズサークル（環状木柱列）である。これが現地で復元されているのである。

石棒信仰とはエネルギーの源泉、ファロス（男根）であり、活力の根源的象徴である。古代人が崇めた。高さ、強さ、エネルギーの象徴である。おそらく高い木々のサークルは石棒を重視するストーンサークルと同様に祭壇、祭祀の意味を持ったのだろう。石器時代にはストーンサークルが斎場であり権威と権力を表した。縄文初期は巨木サークルが、古墳に匹敵する威信財であり、権力の象徴だった。出雲大社の高層建築はこの巨木を権威とした。

ウッズサークルで、その真ん中に立つと、霊異を感じる。真脇遺跡からは鳥のかたちをした土器、把手付きの土製ランプ、魚のかたちをした石製品等。ほかの遺跡にない遺物が大量にでた。このうちの219点の出土品が重要文化財に指定された。

真脇遺跡では水田用地の地下一メートルを発掘し、採集と漁労で生活していた集落と判明した。イルカの骨などに加えて土器、仮面、船の櫂（かい）などが出土した。最晩年の土層からは栗材が出てきた。金沢のチカモリ遺跡などからも同じ形式の構造物が発見されており、巨木文化の時代を彷彿（ほうふつ）させる。国の史跡となって真脇遺跡縄文館が建設され、二百数十点の貴重な出土品が展示されている。

「夢、想像ではなく、ここには縄文そのものがある」という謳い文句の真脇遺跡縄文館（石川県鳳珠郡能登町字真脇）には把手付き土製ランプや鳥をデザインした土器、イルカ層からは285頭の骨、なかにはイルカの肩甲骨に石器の先端が突き刺さったもの、解体作業中の傷のあるイルカの骨があった。縄文人ははるかに高度な漁業を営んでいた。出土品はじつに多彩で土器、石器、装身具、編み物、木製品などである。

雨上がりの夏の日、じっと展示物を見学した後、付近の巨木遺跡跡を撮影し、海へ出ると往時の漁労風景が瞼（まぶた）の中に浮かんだような錯覚にとらわれた。

巨木数本を空に向かって垂直に建てた。天に近づくという古代人の信仰を象徴し、斎場としても儀式の役割を果たしたと推定できる。おそらく日時計としても活用され、遠くからは灯台かわりの目標でもあったのだろう。ましてこれだけの建築技術があったのだから、丸木舟を大型化したり、筏の連続接合などによる釣船の大型化も可能だったのではないか。ウッズサークルの真ん中に立って瞑想してみた。フト縄文人が現れた錯覚に囚われた。見学を終えて、海岸のほうへ五分ほどあるく。停車場で半時間ほど持参した新書を読んでいると能登空港へ行くバスがやってきた。

かくして洞窟絵画、土偶、火焔土器など……縄文期には夥しいアーティストがいた。日本史が豁然（かつぜん）と評価替えをなしたのは、夥しい旧石器時代から縄文前期の遺跡の発見によるものだった。

洞窟壁画もアルタミラ（旧石器時代。18500年前）やラスコー（先史時代、2万年前）が有名だが、北海道余市で発見された「フゴッペ洞窟の岩壁刻画」はおよそ800点、昭和25年（1950）に海水浴にきていた中学生が発見し、この洞窟は2000年前の斎場とわかった。フゴッペ洞窟内にはオットセイ、鯨の骨も見つかった。食糧としていたのだ。洞窟画は船、鳥人、動物などシャーマンにちなむものが多数であり、儀礼の場所と推定された。フゴッペ洞窟の近くにはストーンサークル（西崎山環状列石。4500年前）も出土し、縄文の繁栄が北海道小樽近辺にもあったことが分かる。

ＡＩ、とくに生成ＡＩは、こうした原始時代の壁画の複製などいとも簡単に仕上げてしまうだろうが、製作にあたった人間の想像の魂を再現できることはない。

古代の日本は日本海側が先進地帯であり、出雲、古志、蝦夷、熊襲、土蜘蛛、そして北九州の豪族等がヤマト王権と並ぶか、しのぐパワーを保持していた。出雲は古志（越、高志とも書く）と連帯していた。それは古事記が描くオオクニヌシノミコトが古志の女王ヌナカワ姫への求婚である。出雲と古志がこの政略結婚で固く結ばれ、この連合には信濃も加わった。吉備の作山古墳や宮崎県の西都原古墳など、仁徳天皇陵ほどの規模を誇る。これらの豪族連合の王にとって、はるか遠い内陸部のヤマト王権なぞは比較的新しい地域王権のワンノブゼムであり「近畿豪族連合」くらいの認識だったと考えられる。その共同王が神武天皇以来の王権というとらえ方だったに違いない。

巨石、巨木、石棒だった古代の威信財は突如、古墳造営に変化した。各地の豪族が覇を競ったのだ。これぞ日本古代のピラミッド群である。

しかし六世紀に仏教がはいってくると古墳はまたたくまに廃れ、大仏と壮麗な寺院の建築ブームとなった。神道は自然崇拝であった形のあるものを拝むわけではない。ところが仏教は仏像を拝むのだから、古代人にとって受け入れがたい違和感があった。

古墳の建設の財力と労働力は豪族や皇族の力の象徴だが、聖武天皇が各地に国分寺を建設せよと詔するにいたって、絢爛豪華な寺院建設は古墳と同等かそれ以上の財力と労働力を必要とした。

男性の活力を象徴する石棒も間違いなく威信財である。

アニミズム的要素が強いが、ケルト族発祥地といわれるアイルランドの「タラの丘」へ行くと巨大石棒が置かれ「ケルトの心の故郷」という案内板がある。権力を示唆した祭器の象徴であり、人間の霊力は国境と時間をこえる。ケルト人たちも宗教的祭祀に使ったのだ。

日本の古墳は王権の象徴だが、縄文時代は巨木サークルが豪族王権の象徴だった。出雲大社の原型は発掘された巨木から推定しても当時の摩天楼である。威信財の典型で権力、権威の象徴が大木による高層建築物から判断できる。

出雲はオオクニヌシの国譲りで美化され、六世紀に古志の大王だった継体天皇により出雲、古志を大和朝廷が統一国家の土台に組み入れた。『古事記』、『日本書紀』はそのことに触れないが、古代人の知恵が表明されている。

日本海沿岸の北九州、出雲、古志が当時の先進地域だった。飛鳥、奈良、葛城、河内に栄えたヤマト王権は地政学的見地から言えば、かなり辺境だった。地図を逆さにみるとこの謎は簡単に解ける。飛鳥や奈良は港に遠い盆地、水運にもさほど恵まれていない。奈良盆地、飛鳥が古代から日本の中心だったという歴史の定説とは真逆なのである。

歴史家が真脇遺跡などを忌避しがちなのは日本海が当時の先進地域であり、出雲のように別の古代王朝があったことに触れたくないからだ。日本海沿岸の先進性は大和朝廷史観のパラダイムを超えるからである。

そこで『日本書紀』では第十代崇神天皇が四街道に軍を派遣したこととなり、やがて大和朝廷軍の阿倍比羅夫が七世紀に東北、北海道まで行って夷を大和に服属させたという物語となる。ならば蝦夷の反乱がもっとながく続いたのはなぜか？は熱心に語られない。北陸地方に先進的な「高志国」（越、古志）が存在した歴史的事実はほぼ無視された。戦後の歴史学は学閥に支配され、新説や真説は学閥主流派と見解がことなるために排斥された。

糸魚川のヌナカワ姫伝説は出雲のオオクニヌシに求婚されて嫁ぐ物語に『古事記』が置き換えた（拙著『葬られた古代王朝　高志国と継体天皇の謎』、宝島社新書を参照）。往時、高志国は越前から加賀をまたぎ、新潟を超えて山形県庄内までの広域を意味した。福井県、富山県、新潟県には「高志」の名が冠せられた高校があり、富山市には「高志の国文学館」。福井市の名門校は「古志高校」。また地震で全国区となったのが新潟の山古志村れていた。律令制度のもと国司が古志の国々に派遣されたのは大化の改新以後である。

（現・長岡市）だった。高志国の存在は、たとえば長屋王邸宅跡から出土した木簡に書か

話題がＡＩからすこしぶれたが、何を言いたいかと言えば、ＡＩ文明がいかに進歩しようとも、文明の利器を巧みに利用し生活の改善と文化の向上に役立ててこそ文明の進歩があり、人類の未来が明るくなるのである。

第六章

ガラパゴスで考えたこと

「すべての生物はその本来の寿命のあいだに多数の卵あるいは種子を生じるのであるが、一生のある時期に、ある季節、あるいはある年に、滅びねばならない。もしそうでなければ、幾何学的（等比数列的）増加の原則によって、その個体数はたちまち法外に増大し、どんな国でもそれを収容できなくなる」

（ダーウィン『種の起原』、岩波文庫版上巻）

絶滅の危機に追いやられても生き残る

ガリレオ、コペルニクス、そしてダーウィン。真実を発見し、勇気をもって迷妄に挑戦した人々である。

とくにダーウィンはガラパゴス諸島をつぶさに見聞し、自然淘汰と適者生存を基軸とする『種の起原』を発表した。人間は猿から進化したとする著作はキリスト教の教えに悖反(はいはん)するわけだからキリスト教世界に衝撃を運んだ。猛烈なダーウィン批判が起こった。ヨーロッパのキリスト教社会では「人間は神が創造した」という信仰である。聖書への真っ向からの挑戦は勇気がいる行為だった。

日本で『種の起原』は明治二十九年（１８９６）に翻訳され、今日までに十数冊の翻訳書が溢れた。アナーキストの大杉栄の訳本もある。

その後、文化人類学、生物化学、考古学が発展し、ネアンデルタールとホモサピエンスとの交接がＤＮＡ鑑定によって証明された。これはドイツのペーボ博士（ノーベル生理学・医学賞）が研究した学説だが、筆者は『古事記』にある天つ神のウガヤフキアエズから国つ神の神武天皇が産まれた謎が解けたと思った。

ならば南太平洋の絶海の孤島ガラパゴス諸島（エクアドルに帰属）へ行こうと思い立った。霊感にインスパイアされた旅立ちだった。筆者が使っていた携帯電話がスマホではなくいわゆる「ガラケー」で、それも若い人から指摘されるまで意味がわからなかった。ガラパゴスへ行けば何かヒントが生まれるのではないか。ウミガメやイグアナの隣でＡＩ文明の行く末を考えるのも一興だろう。

チャールズ・ダーウィンが『種の起原』を書く原動力となったのもガラパゴス諸島である。古代生物が固有の遺伝種をもち、バイタリティに富んで生き続けている事実に着目したからだ。旅行鞄（かばん）に岩波文庫の『種の起原』も入れたつもりでいたが忘れてしまい、帰国後に読み直した。

ガラパゴス諸島の代表はゾウガメとイグアナである。ゾウガメは３００万年、イグアナは１１００万年前からガラパゴスで独自の進化を遂げていた。３００万年と聞くと気が遠くなりそうだ。

それにしても地球の裏側、エクアドルの首都キトから商都グアヤキルを経由して、玄関口＝バルトラ島へ行くのは乗り換えの宿泊もあって、日本から三日がかりだ。飛行場とて、大戦中に米軍が地政学的優位性から建設した跡を拡張したもので、いまでは三百人乗りの大型旅客機が離着陸し「文明国」のニンゲンを大量に運んでいる。とくに西洋人のガラパゴス詣では一種信仰的な巡礼行為に近い。それでいて手にはスマホ！

ガラパゴスは入島に際して荷物検査が厳しい。古代生物の絶滅を防ぐため果物、動・植物の種子も持ち込ませない。空港に到着するとタラップを降りる前に機内で検疫処置が執られ、入管ではバッグの中味が慎重に点検され、ペットボトルにいたるまで入念なチェックがある。「入島税」が百ドル（べらぼうだが、自然保護の寄付金と思って沈黙する）徴収され、パスポートにウミガメのスタンプが押される。しかし西洋人の旅客は半ズボン、タンクトップの女性。どこかチグハグである。

ガラパゴス諸島は上陸が可能な十四の島と、無数の岩礁でなりたち、住人の先祖はポリネシア系から流れ着いた。独自の言語を持たないのも大航海時代まで無人島だったからだ。現在の島民はエクアドル、ペルーからも漂着したらしく、いまでは訛（なま）ったガラパゴス方言的なスペイン語を操る。看板も書類もすべてスペイン語。ホテル、レストランなどでは英語もかなり通じる。それだけ夥しい観光客がこの島を襲っていることを意味する。それにしてもなぜ絶滅に近い古代生物が、この絶海の孤島に集中しているのか。独自の遺伝子を持つのが１１３、そのうち11種が絶滅した。

多彩な生物が集まったのは東西南北から流れ込む海流の所為である。北はパナマ海流に乗ってアシカが、東からは南赤道海流にのってゾウガメ、フィンチ、イグアナが、南からはペルー海流でペンギンとオットセイが、そして西からクロムウエル海流が流れ込んで海中には巨大マンタがいる。

ガラパゴス群島は、「個々の島で生じた新しい種は他の島に急速に拡がってはいかなかった（中略）。島々は互いに視野のうちにあるのではあるが、深い海で隔てられており、多くの場合にそれはイギリス海峡より広いのである。そしてまた、島々が昔連続的につながっていたと想像されるものは、なにもない。海流は急で、群島を横切って流れ、強風は極度に稀である。それにより島々は、地図で見た感じよりもはるかに効果的に隔離されている」（ダーウィン『種の起原』、岩波文庫版下巻）。

ダーウィンは驚くのである。

ガラパゴス群島の多くの島での生物は、

「大部分はそれぞれの島でちがったものであるのに、世界のほかのどこの生物とよりも、比較にならないほど密接な程度に相互に類縁を有している」。

その類縁の典型が、イグアナとゾウガメである。

ウミガメの生殖能力はなんと40歳から

古代生物の絶滅の危機が真っ先に騒がれたのはゾウガメだった。「孤児ジョージ」と渾名された異種のゾウガメと精力絶倫の「ディエゴ君」は対照的だ。ガイドブックにも写真入りで紹介されていた「孤児ジョージ」は２０１２年に死亡し絶滅種となった。

かたや「ディエゴ君は推定年齢百歳を超えても生殖が盛んで少なく見積もっても３５０頭、最大８００頭の子をなした」（ニューヨーク・タイムズ、２０１７年3月12日）。

人間ならどんな精力絶倫男でも１００歳となると生殖能力は喪失している。いやペニスが勃起しない。

「ディエゴ君」と名付けられた理由は絶滅寸前に米国サンディエゴ動物園にオス一頭だけ生き残っていたのを頼み込んで１９７７年に引き取り人工繁殖に努めたからだ。絶滅寸前にまで追い込まれたのは海賊船が横行した時代、ゾウガメが海賊に大量に捕獲され、およそ20万頭が食い尽くされたからだった。

ゾウガメは草、サボテン、木の実を食べるが代謝が低いため水なしで一年近く生きられる。海賊船が乱獲して船に積み込み、食料にして食い尽くした。ダーウィンも航海中は食べたのではないか。

ここで大事なことは生き残って繁殖したゾウガメと絶滅したゾウガメは、なぜそうなったのか。引き籠もりで社交性のない日本人が70万人、結婚しない若者とりわけ男性の「生涯独身組」が40%もいる日本で、他方で子沢山の家庭を方々で見かけるように、子孫の繁栄では明暗を分ける。冷静に言えば、「適者生存」の法則が生きていることになる。

さてガラパゴスの中心サンタクルス島のプエルトアヨラは、3万余の人口が密集するちゃんとした町である。

この町のメインストリートにあるグランドホテルに旅装を解いた。南洋特有の木造建築で粗末な煉瓦（れんが）を組み立て、エレベーターなどあるわけがない。むろん風呂なし、シャワーだけ。朝食も極めて質素。中庭に小さなプールがあった。その脇にゾウガメの剥製が飾ってある。

波静かな入江を中心に三本のメインストリートの両脇にはレストラン、パブ、土産屋、ジュエリー加工店、バーが犇（ひし）めき、なんと寿司バーも一軒。どこにでもあるリゾート地の景観だが、よく見ると一階は店開きしているが、二階はまだ建設中の柱がむき出しで、中はガランドウという店が少なくない。工事中ということにすれば税金が免除されるからだ。

夜にはクルマの出入りを遮断して路上一杯にテーブルと椅子が並べられ、人気のある店は欧米の観光客で満員になる。金目鯛、マグロを目の前で料理する。ホイルに包んで焼き上げた三十センチもある金目鯛をつつく豪快なもの。前夜まで鶏や魚の食事が続いたので、ここでは野菜が食べられる店を選んだ。大ぶりなどんぶり鉢に大きなじゃが芋がごろりと入ったスープ、彩りの良いパプリカのソテーにレタス（！）などを添えた小ぶりな魚のムニエル。デザートは山盛りのスイカとメロン、パイナップル。ビール、ワインとともに十分に堪能した。ガラパゴスでまさか、このような多彩なメニューにありつけるとは想像していなかった。

白人の観光客が多いが、ちらほら中国人、韓国人、そして日本人のツアー客もあるが圧倒的に多いのはフランス人とアメリカ人だ。世界遺産第一号になってから、ここに世界中からテレビ局の取材が入り、近年海水浴やシュノーケル目的の観光客まで押し寄せるようになった。この人たちは古代生物に殆ど興味がない。

雨上がりに車道をのそのそと歩くゾウガメの集団に出遭った。現地のガイドが「二階建てゾウガメがいる」と指をさした。

ちょうど交尾中で、亀の二階建てのような格好での行為は３、４時間にも及ぶという。平均寿命１００歳。メスは25歳、オスは40歳から生殖能力を発揮するとされ、１００歳を超えても立派に子孫を残せるというから、すごい。

ダーウィンは何を訴えたかったか

『種の起原』は進化論の嚆矢（こうし）、ガラパゴスの古代生物を観察し、なぜ生き残っているのか、独自の進化を遂げているかを調べた。

だからガラパゴスで、イグアナやアシカ、アホウドリ、フィンチなどを観察しながら『種の起原』を再読したかった。帰国後、現地の写真やらダーウィン研究所でみた光景をひとつひとつ思い出しながら読んだ。半世紀ぶり、中味はすっかり忘れている。訳文もカタイ。一昔前の日本語である。最初に気がついたのは題名が誤解を与えていることだった。『種の起原』は省略されすぎた題名なのである。正確には『自然選択の方途による、すなわち生存闘争において有利なレースの存続することによる、種の起原』。これがフルタイトルである。しかも肝腎のガラパゴスのことは3ヶ所しか出てこない。

ダーウィンが乗り込んだ探検船「ビーグル号」、じつは軍艦だった。

進化論は発表当時の社会情勢から言えばキリスト教のタブーに挑んだのであり、聖書では神が大地に息を吹きかえ人類を、動物を産んだことになっている。猿が進化したのではない。動物、植物、生物の観察日誌だが、なにしろダーウィンはどの大学にも研究機関にも属さなかった自由人にして、しかも博覧強記、地質学、植物学、天候、博物学の見地から洞察がなされるが、究極的にこの本は「人間」を論じているのだ。

——実存としての人間は自然選択と適者生存。つまり生存競争に打ち勝った種が生き残る。

「世界の歴史で相次ぐおのおのの時期の生物は、それより先にいたものを生存のための競争でうちまかし、それだけ自然の階段を高くのぼっていく」

適者生存の法則とは過保護の生物は淘汰される自然淘汰の原則で、ガラパゴスのゾウガメとイグアナのことを思い出した。

「動物を飼い慣らすことはきわめてたやすいが、拘束のもとで自由に繁殖させるのは至難のことである。たとえ雌雄が交接する場合が多くても、子は生まれないのである。原産地で、しかもそれほどきびしくない拘束のもとでながく生きながら、子を産まない動物がなんと多いことか。これは一般に本能がそこなわれたことに帰されている」(同前掲書)。

孤児ジョージ（ゾウガメの一種）には二頭の雌亀が与えられた。人間社会で言えば「妻妾同居」状態だった。にもかかわらず子を産む能力に恵まれず、他方、米国から持ってきたゾウガメの「ディエゴ君」はすでに１００歳を超えているのに８００頭の子孫を作った。「生存競争は、あらゆる生物が高率で増加する傾向をもつことの不可避的な結果である」がダーウィンの結語だ。

ＡＩがロボットやクローン人間を作ろうかという現代にあってガラパゴスの教訓が活かされるべきだろう。

イースター島のモアイ像の謎

ロンドンの大英博物館の入口には大きなモアイ像が建っている。

たとえば阿久悠作詞の「ＵＦＯ」はイースター島で着想を得たという。テレビ番組が何回もロケに行った。モアイ像は日本でもレプリカが陳列された。

そこで絶海の孤島イースター島へガラパゴス島から飛行機を乗り継いで足を延ばしてみた。謎の巨石像「モアイ」がそこいら中に転がっている島である。

２０１７年3月に古代エジプトのファラオ（神権皇帝）像が二対、カイロ首都圏の住宅地で発掘された。場所はカイロ北東部のマタリア地区で、この一帯はかつて古代エジプト王朝の首都ヘリオポリスとされる。いまでは荒廃した住宅が並ぶ荒れ地で、発掘されたファラオ像は古代エジプトの第19王朝（紀元前１３１４〜１２００年）に在位したふたりの王を模しているとされる。そのうち一つは高さ8メートル。硬い珪岩（けいがん）で作られている。これはイースター島のモアイと同じで、高さも同様だ。新発見のファラオはラムセス2世の神殿の入り口での発見だったため、ラムセス王の像と想定される。

イースター島の飛行場は日本の田舎の空港、たとえば米子鬼太郎空港ていどの規模で、荷物は手作業で運ぶからやけに時間がかかる。入国手続きはチリ内国扱いだから不要だが、荷物検査はかなり厳重である。

空港を出ると花束を首にかけられた。この歓迎風景はハワイと同様、島の花々を編んだものでポリネシア特有の強烈な匂いがある。それにしても粗末な建物であり、迎えにでている小型バスも、タクシーも中古車ばかり、現地人の笑顔に吸い寄せられるうちにバスは出発した。

島の中心は空港から僅か一キロのハンガロア村だ。役場や学校、郵便局、銀行、そして特有のダンスを踊る劇場がある。村の真ん中を陣取るのはカソリック教会で、ミサは満員となって島の社交場でもある。この教会の場所の標高が30メートル、道路のあちこちには「TSUNAMI」という道路標識があって避難場所を明示している。そうだ。イースター島は津波の通り道でもある。

巨石像が島のあちこちに建って、その神秘的な姿と、いったいモアイの意味は何かというミステリーを解明しようと世界中から観光客が押し寄せる。

　イースター島はチリ本土から西へ３７００キロも離れているけれども地政学的にチリに所属するのは、大航海時代に英国がチリをそそのかしたからで、その文化はインカ系のチリとは隔絶している。むしろ文明的にはポリネシアだ。

　そもそもイースター島という命名はカソリックの復活祭を意味する。スペイン語では「イスラ・デ・パスクワ」だ。ところが現地人は「ラパ・ヌイ」（大きな島）とだけ呼ぶ。外来の島名は認めない。公用語はスペイン語だが、現地人が喋（しゃべ）る言葉がある。ポリネシアに共通の「オーストロネシア言語系」で、もっと言えば「ポリネシア」とは太平洋のハワイ北西部からニュージーランド、そしてイースター島を結ぶ三角形。このなかにはタヒチも入る。

　ヤップ島は巨石本位制といって大きな石が通貨替わりだった。イースター島では古来から巨石信仰があった。

したがって人口僅か7000人とはいえ、島民の意識には「自分たちは何者なのか」とアイデンティティの希求があり、同時にチリに帰属する理由はないとしてナショナリズムが強まっている。具体的にはチリの資本を排斥する動きがでてきている。

島民とチリ本土との心理的対立は台湾の本省人vs外省人の軋轢（あつれき）、その歴史的な確執に似ている。モアイの謎を解明し、イースター島の歴史を遡及しようと、埋もれていた歴史をモアイ復権にもとめるのが「イースター島版・国学」の復興である。

モアイ像の現場に急いだ。この島の面積は小豆島ていどしかない。文明から疎外されたかのように舗装道路は少なく、もちろん信号もない。島のあちこちに点在するモアイを見学するには四輪駆動か、小型バスでいくしかなく凸凹道は胃袋がひっくり返るほど揺れる。

モアイは立像が45体で、残りの八百余体は倒され、うつぶせのままか、土に顔まで埋まっている。

旅行雑誌のグラビアやテレビ番組で紹介される十五体のモアイが並ぶ観光の目玉は「アフ・トンガリキ」と呼ばれる。

これは島の東北部にあって、日の出をみに毎朝数百の観光客が集まる。太陽のまばゆい光線がモアイを後ろから照らすと神秘的な情景となる。これは日本企業がクレーンを持ち込んで立て直した慈善事業の結果、大事な観光資源となったのである。

爾来、文明から遠く孤立したはずのイースター島に大型ジェット機が離着陸して世界各地から夥しい観光客を運ぶのも、米国の恩恵による。というのもＮＡＳＡの宇宙計画があった時代、米国はイースター島を宇宙船の着陸候補地点の一つと考え、レーダー基地を設置した。そのうえで空港を整備したが、大きな荷物の陸揚げが難しく、燃料タンクは海中にパイプラインを敷設し、空中空輸機の逆転発想で海中の固定バルブに、沖合のタンカーから油送するという方法をとる。島の電気を支える火力発電所も、この海中油送管でかろうじて発電しており、ほかに風力発電でまかなっている。

モアイ像と宇宙人と古代文字

モアイ像の意味は信仰と慰霊のための祭壇である。

モアイ像が立つ土台が墓地で、巨石を先祖の顔に似せておくのは神殿である。この古代宗教がスペインの侵略統治をうける十七世紀まで続いた。現地の部族にとってモアイの設置場所は「聖地」だったのである。多くのモアイは三頭身で、どれも独特な風貌をしているが、女性のモアイは一体しかない。その眼に霊力を兼ね備えたパワーが籠もっていると信じられ、先祖崇拝の宗教儀式を執り行った。　そうか、モアイ像の大きな目玉も神が眼に宿ると信じられたからなのか。だから倒された像はすべてうつぶせで目を天に向けないようにしているのだ。

こうした儀式はポリネシア海域に共通で、サモア、ツバルなど多くの島々は言語体系が近似するうえ、人種的起源はマレーシアか台湾原住民と言われる。台湾も鄭成功以前の原住民は盛んに海に進出した。蔣介石率いた中国人が多く入植するに及んで台湾は漢族が主流になった。

モアイの原材料は石材であり、これを山から切り出し、最大21メートル、20トンから90トンはある巨石を彫刻した。

しかし海岸部へどうやって運んだのか、歴史上のミステリーとなっている。石切場は「ラノララク」と呼ばれ、凝灰岩に彫刻したものの途中に放り出したものから正座するモアイ、なかでも人気者は「ピロピロ」と呼ばれるユーモラスなモアイである。

モアイ像信仰は7世紀から18世紀まで続いた。スペインの侵略前に、部族間の闘争で破壊されてしまった。

人口が増え、食料の争奪戦が起きたからだ。島のなかに十一から十二の部族が分散していたため対立を激化させ、お互いのモアイを引き倒す戦争を始めた。この「モアイ倒し戦争」は17世紀前半の出来事、聖地を破壊して島の主導権を争った。一万人もいた島民は激減した。部族同士が敵対し、敵の祭壇を破壊し合った。とくに眼の部分を地中に埋めるうつぶせのかたちとした。それによって相手のパワーが失われるという信仰にもとづいた。

このように部族間で破壊し合った後、「鳥人信仰」というトライアスロンの原型のような激越な競技が競われ、勝ち組が一年間の酋長（しゅうちょう）を決めた時期もあった。沖合の無人島まで泳ぎ、鳥の卵を壊さないでもって帰る競技はユーモラスで平和的でもある。しかし長続きしなかった。

スペインが侵略し、島民をカソリックに改宗させ、多くの島民は奴隷としてペルーへ連行された。最悪時、島民は１１０人しかいなかった。かくてモアイ信仰は潰（つい）えた。

きっとイースター島では独自の文化を再建しようとする国学的な運動が起きているのではないかと考えたが、島の経済をやしなっているのは、観光客である。

海岸に派手に店開きするのはダイバー、サーファーへの貸しだしと海鮮レストラン、土産屋ばかり。海岸通りの屋台村を観光客がそぞろ歩きしているが、貝細工の工芸品くらいしか土産はない。一番高いのが高級材で彫ったモアイの模型で高級品でも２００ドルくらい。滞在中、何軒かレストランに入ったが、味にそれほどの工夫はなく、おざなりの料理、なかに一軒寿司バーがあって西洋人が「美味い」と食べている光景に出くわした。

現地語の新聞もなければ、スペイン語の放送しかテレビ番組はない。かつて存在したイースター島の古代文字を解読できるのは誰もいなくなった。きっとこのイースター古代文字をＡＩが解明するだろう。

ホテルのロビーではＷＩＦＩが繋がり、スマホ、パソコンがあれば日本のニュースも得られるが、現地人の主張は、いったいどうやって確保されているのか。このような問題意識はイースター島では殆ど通用せず、島民は楽天的で独特の踊り、それもダイナミックなミクロネシア特有のダンスに興じていた。

ＡＩ文明を考えるにはじつに対比的な島である。

エピローグ

AIには喜怒哀楽がない。情緒は理解できない

「知識は伝えることができるが、智恵は伝えることができない、智恵をみいだすことはできる。智恵を生きることはできる。智恵に支えられることはできる。智恵で奇跡を行うことはできる。が、智恵を語り教えることはできない」

（ヘルマン・ヘッセ『シッダールタ』、高橋健二訳、新潮文庫）

「万物の尺度はなににもまして神である」

（プラトン『法律』）

ＡＩには喜怒哀楽がない。人間の霊的な精神の営為を超えることはない

ドイツの哲学者で日本でも有名なマルクス・ガブリエルが『読売新聞』（24年2月4日）の取材に応じて大意つぎのようなＡＩへの見解を述べている。

「ハリウッドの組合がＡＩに反対してストライキを行ったのは認識の齟齬である。アルファ囲碁がチャンピオンに勝ったのはＡＩの研究者であってＡＩではない。たとえば自分のことを何回かチャットＧＰＴに尋ねたが毎回間違いだらけ、つまりＡＩには自意識がない。デカルトの『我想う、ゆえに我あり』には近づけない。にも拘わらず離婚や転職の相談をなして恰も神の託宣のごとくに信仰するは根底の間違いだ。ＡＩは演算、画像処理の結果に過ぎない」（傍点宮崎）

なるほど哲学者とはうまい比喩をするものである。

擱筆（かくしつ）にあたって筆者は半世紀前の岡潔博士との会話を突然思い出した。奈良の岡邸を訪問したおり、開口一番に岡潔は「昨日、西行と会いました」と言った。なんと浮き世離れ

した宇宙人のような発言かといぶかしく思ったのだが、テレパシーは時空を越えるのだ。インスピレーションは実在する人物や事象だけではなく過去からも啓発され刺激を受ける。霊性、霊力こそが創作、発明に繋がるのである。

日本の詩歌、文学は霊気が溢れ、哲学的である。

「やまと歌は、人の心を種として、よろづの言葉とぞなれりける」（紀貫之『古今和歌集』仮名序）

日本は「言霊のくに」である。言葉には魂が宿り、その力によって幸福がもたらされる。『万葉集』にある柿本人麻呂の歌は、

「志貴島の日本(やまと)の国は言靈の佑ふ(さきは)國ぞ　福く(さき)ありとぞ」

山上憶良は詠んだ。

「そらみつ大和の國は　皇神(すめかみ)の嚴くしき國　言靈の幸ふ國と　語り繼ぎ言ひ繼がひけり」

『古事記』にワカタケルこと雄略天皇がおそれた葛城系の、言霊が神格化されて祀られる「一言主大神」の不思議な記述がある。天皇の一行と同じ衣類、類似行列の出現にワカタケルは畏怖する。ちなみに葛城山麓にある一言主神社の主神は一言主と雄略天皇である。

わが国の歴史はつねに霊力が付帯する英雄譚が奏でられた。神武天皇がナガスネヒコに追われ、紀伊半島に迂回して吉野を越えるとき、高天原から霊剣が高倉下におろされ、八咫烏が現れる。鵄が杖の上に駐まり光を放ったので豪族たちは神武天皇の霊力に降れ伏す。科学的合理主義からすれば、超常現象である。

ヤマトタケルが危機を脱することができたのは草薙の剣という霊剣のおかげであり、天武天皇は壬申の乱で近江朝に挑んだとき、伊勢神宮へむかって秘技を繰り返し、その霊力により兵士たちは必勝を信じた。和歌は古代から現代までの文学の薫り高い作品だが、魂の歌で一貫しているのである。霊魂、大和魂を、日本人の心を謳った作品は必然的選択というより、まさに自然に旋律が湧いてくるのである。

神武天皇の御製。

「みつみつし　久米の子らが　垣下に

植えし椒　口ひびく　われは忘れじ　撃てしやまむ」

これを「言霊信仰の強かった当時の日本においては、和歌や長歌ができるというだけでも尊敬・畏敬の対象として崇められた」と渡部昇一は書いた（『渡部昇一の和歌から見える「日本通史」』、育鵬社）。

大化の改新の立役者は中大兄皇子と中臣鎌足（後の藤原鎌足）だった。蘇我一族を退治した政治的事件は「古代神道尊重派が崇仏派に反撃した政治的精神的クーデター」だった。外来思想と異教徒の脅威に「危機感を抱いて立ち上がったのが中大兄皇子や藤原鎌足であった。つまり（中大兄）皇子の（蘇我）入鹿に対する反乱は、皇統を護り、それと同時に神道派の主権回復を目指した」（渡部前掲書）。

そこで中大兄皇子（後の天智天皇）の御製。

「わたつみの　豊旗雲に　入り日さし
　今夜の月夜　さやけかりこそ」

わずか五七五の十七文字で、すべてを印象的に表現できる芸術が俳句である。三十一文字に表すのが和歌である。文学の極地といってよい。どんな新聞や雑誌にも、いや同窓会誌でさえ俳句と和歌の投稿欄があり、多くの読者を引きつけている。その魅力の源泉に、私たちはＡＩ時代の創作のあり方を見いだせるのではないか。

「荒海や佐渡に横たう天の川」
「夏草や兵どもが夢の跡」
「むざんやな甲の下のきりぎりす」
「旅に病で夢は枯野をかけ廻る」

このような俳聖芭蕉の俳句を、ＡＩが吟行に行くにせよ真似事ていどはできるだろうが、人の心を打つ名句をひねり出すとは考えにくい。和歌もそうだろう。

皇族から庶民に至るまで日本人は深い味わいが籠もる歌を詠んだ。歌の伝統はすでにスサノオの出雲八重垣にはじまり、ヤマトタケルの「まほろば」へと謳い継がれた。

文学の名作は最初の一行が作家の精神の凝縮として呻吟から生まれるのである。

紫式部『源氏物語』の有名な書き出しはこうである。

「いづれの御時にか、女御、更衣あまたさぶらひたまひける中に、いとやむごとなき際にはあらぬが、すぐれて時めきたまふありけり」

「春は曙、やうやう白く成り行く山際すこし明かりて、紫立ちたる雲の細くたなびきたる」（清少納言『枕草子』）

「かくありし時すぎて、世の中にいとものはかなく、とにもかくにもつかで、世に経るひとありけり」（道綱母『蜻蛉日記』）

額田女王の和歌の代表作とされるのは、愛媛の港で白村江へ向かおうとする船団の情景を斉明天皇の心情に託して詠んだ次の歌である。

「熟田津に　船乗りせむと月待てば　潮もかなひぬ今は漕ぎ出でな」（『万葉集』）

「昔、男初冠して、平城の京春日の郷に、しるよしして、狩りにいにけり。その里に、いとなまめいたる女はらから住みけり」（『伊勢物語』）

「ゆく河の流れは絶えずして、しかももとの水にあらず。淀みに浮かぶ泡沫（うたかた）はかつ消えかつ結びて、久しくとどまりたるためしなし」（『方丈記』）

『平家物語』の書き出しは誰もが知っている。

「祇園精舎の鐘の声、諸行無常の響きあり。沙羅双樹の花の色、盛者必衰の理をあらはす。奢れる人も久からず、ただ春の夜の夢のごとし。猛き者も遂にはほろびぬ、偏（ひとへ）に風の前の塵におなじ」。

『太平記』の書き出しは「蒙竊（もうひそ）かに古今の変化を探つて、安危の所由を察（み）るに、覆つて外（ほか）なきは天の徳なり」（『太平記』兵藤裕己校注、岩波文庫版）。

古代から平安時代まで日本の文学は無常観を基盤としている。江戸時代になると、文章が多彩に変わる。

井原西鶴の『好色一代男』の書き出しは、「本朝遊女のはじまり、江州の朝妻、播州の室津より事起こりて、いま国々になりぬ」。

上田秋成の『雨月物語』の書き出しはこうだ。

「あふ坂の関守にゆるされてより、秋こし山の黄葉（もみぢ）見過しがたく、浜千鳥の跡ふみつくる鳴海がた、不尽（ふじ）の高嶺の煙、浮島がはら、清見が関、大磯小磯の浦々」

近代文学は文体がかわって合理性を帯びてくる。

「木曽路はすべて山の中である」（島崎藤村『夜明け前』）

藤村の詩はいまなお現代日本人の琴線を揺さぶる。

「まだあげ初めし前髪の
　林檎のもとにみえしとき
　　前にさしたる花櫛の
　　　花ある君と思ひけり」（『若菜集』）

「親譲りの無鉄砲で小供（ママ）の時から損ばかりしている。小学校に居る時分学校の二階から飛び降りて一週間ほど腰を抜かした事がある」（夏目漱石『坊っちゃん』）

描写は絵画的にあり、実生活の情緒が溢れる。

「国境の長いトンネルを抜けると雪国であった」（川端康成『雪国』）

戦後文学はそれぞれが独自の文体を発揮し始めた。

「朝、食堂でスウプを一さじ、すっと吸って、お母様が『あ』と幽(かす)かな叫び声をお挙げになった」（太宰治『斜陽』）

「その頃も旅をしていた。ある国を出て、別の国に入り、そこの首府の学生町の安い旅館で寝たり起きたりして私はその日その日をすごしていた」（開高健『夏の闇』）

和歌もかなりの変質を遂げた。正統派の辞世は、

「益荒男が　手挟む太刀の鞘鳴りに　幾とせ耐えて今日の初霜」（三島由紀夫）

「散るをいとふ 世にも人にも さきがけて 散るこそ花と 吹く小夜嵐」（同）

サラダ記念日などのような前衛は例外としても、たとえば寺山修司の和歌は、

「マッチ擦る　つかのま海に　霧ふかし
　身捨つるほどの　祖国はありや」

こうした絶望、空虚、無常を表す人間の微細な感情を、喜怒哀楽のない機械が創造できるとはとうてい考えられない。

ＡＩは人間の霊感、霊的な精神の営みをこえることはない。

著者プロフィール

宮崎正弘（みやざき まさひろ）

1946（昭和21）年、金沢市生まれ。早稲田大学英文科中退。『日本学生新聞』編集長などを経て『もうひとつの資源戦争』（講談社）で論壇へ。以後、作家、評論家。中国問題、国際関係、経済から古代史まで幅広く論じる。現地調査に踏まえた現実的な評論には定評がある。早期に危機を警告した『軍事ロボット戦争』『日米先端特許戦争』（共にダイヤモンド現代選書）など著作は300冊近い。最近の著書に『ウクライナ危機後に中国とロシアは破局を迎える』『半導体戦争！　中国敗北後の日本と世界』（共に宝島社）、『葬られた古代王朝 高志国と継体天皇の謎』『歪められた日本史』（共に宝島社新書）などがある。

スタッフ
装丁／妹尾善史（landfish）
本文デザイン＆DTP／株式会社ユニオンワークス
編集／小林大作、中尾緑子

AIvs.人間の近未来

2024年5月29日　第1刷発行

著　者　　宮崎正弘
発行人　　関川 誠
発行所　　株式会社宝島社
〒102-8388
東京都千代田区一番町25番地
電話　営業　03-3234-4621
編集　03-3239-0928
https://tkj.jp
印刷・製本　中央精版印刷株式会社

Printed in Japan
ISBN978-4-299-05547-7